光文社古典新訳文庫

共産党宣言

マルクス、エンゲルス

森田成也訳

光文社

Title : MANIFEST DER KOMMUNISTISCHEN PARTEI
1848
Author : Karl Marx, Friedrich Engels

凡例

1、『共産党宣言』の底本は、一八四八年発行「二三ページ版」（初版とされているもの）。

2、「共産主義の原理」、「『共産党宣言』各版序文」、「『共産党宣言』に関するマルクス、エンゲルスの手紙の抜粋」の底本は、ドイツ語版『マルクス・エンゲルス全集（MEW）』（ディーツ社）の各巻、新メガ、および英語版の『マルクス・エンゲルス全集（MECW）』の各巻。

3、「付録1」のプレハーノフの「一八八二年ロシア語版まえがき」の底本は、ロシア語版の『プレハーノフ全集』第一巻（リャザノフ編、モスクワ）。

4、『共産党宣言』にある［3］［4］などの数字は、「二三ページ版」の頁数。

5、翻訳にあたって、英語版の『マルクス・エンゲルス全集（MECW）』の各巻、日本語で出ている『共産党宣言』および「共産主義の原理」のさまざまな訳（膨大すぎるので割愛）や研究書、および、インターネットの「マルキスト・インターネット・アーカイブ」で閲覧できる各国語版を適宜参照した。

6、本書の訳注、解説等に引用した文献については、必ずしも既訳に従っていない。
7、本文中の［　］は訳者による挿入。
8、本書の第Ⅲ部として、『共産党宣言』に関するマルクスとエンゲルスの手紙（およびそれ以外の関連書簡）を収録したが、それらの一部は、第Ⅱ部にそれぞれの序文を収録した『共産党宣言』の各版に関連したものである。以下に、読者にとって便利なように、それぞれの版に関連する手紙の番号をリストアップしておく。

「一八七二年ドイツ語版」関係……Ⅲ―26、27、28、29、30、31、32、33、57、61、105
「一八八二年ロシア語版」関係……Ⅲ―45、47、48、49、52、54、59、60、61、63、95、96
「一八八三年ドイツ語版」関係……Ⅲ―59、65、105
「一八八八年英語版」関係……Ⅲ―38、39、40、41、42、50、59、72、73、74、75、76、77、78、79、80、81、82、83、90、97
「一八九〇年ドイツ語版」関係……Ⅲ―85、86、105
「一八九二年ポーランド語版」関係……Ⅲ―91、93

「一八九三年イタリア語版」関係……Ⅲ—87、88、89、93、94、96、99、100

『共産党宣言』＊目次

共産党宣言

第I部　「共産主義の原理」と『共産党宣言』

「共産主義の原理」

問1　共産主義とは何か？

答え　共産主義とはプロレタリアートの解放条件に関する学説である。(1)

問2　プロレタリアートとは何か？

答え　プロレタリアートとは、生活の糧をもっぱら自己の労働の販売から得ていて、何らかの資本の利潤から得ているのではない社会階級のことである。その幸と不幸、その生と死、その生存全体が、労働に対する需要に依存しており、したがって好況と不況の交代や無制限の競争の有為転変に依存している。プロレタリアートないしプロレタリア階級とは要するに一九世紀の労働する階級のことである。

問3　するとプロレタリアートは常に存在していたわけではないということか？

答え　そうだ。貧民や労働する階級は常に存在していたし、労働する階級はたいてい貧しかった。しかし、先に述べたような状態の中で生活している貧民や労働者、したがってプロレタリアートは常に存在していたわけではない。それは競争が常に自由で無制限であったわけではないのと同じである。

問4　プロレタリアートはどのようにして発生したのか？

答え　プロレタリアートは産業革命を通じて発生した。産業革命は一八世紀後半にまずイギリスで起こり、その後、世界のすべての文明諸国で次々と起こった。産業革命が生じたのは、蒸気機関や種々の紡績機、力織機、その他多くの機械装置が発明されたからである。これらの機械は非常に高価で、したがって大資本家にしか調達できない。それは、これまでの生産様式をすっかり変え、既存の労働者たちを駆逐してしまった。なぜなら機械は、労働者が不完全な紡ぎ車や手織り機で作るよりも安く良質な商品を供給するからである。これらの機械はそうすることで、工業の全体を大資本家の手中に移し、労働者のわずかな財産（道具、手織り機など）をすっかり無価値なものにしてしまった。こうして資本家がたちまちにしていっさいをその手中に収めたのに対し、労働者には何も残らなかった。

まず衣服の材料を生産する部門［紡績や織物］に工場制度が導入された。機械と工場制度の導入がいったん始まると、この制度はたちまち他のあらゆる工業部門に広がっていった。とりわけ、衣料品、印刷、陶器製造、金属工業などがそうである。個々の労働者のあいだでの分業がますます進行し、かつては製品の全体を生産していた労働者は今では製品の一部だけを作るようになった。分業は、生産物をより短時間で、したがってより安く生産することを可能にした。それは個々の労働者の動作を、きわめて単純で絶え間なく機械的に繰り返される操作へと還元したのだが、このような動きは機械によってまったく同じようになしうるだけでなく、はるかにうまくこなすことができる。こうして、これらのあらゆる産業部門も、紡績や織物業と同じく、次から次へと蒸気機関、機械、工場制度の支配下に入っていった。だがそれと同時にこれらの部門は完全に大資本家の手中に入り、ここでも労働者はその独立性の最後の痕跡を失った。本来のマニュファクチュアの外部でも、しだいに手工業は工場制度の支配下にますます陥り、それゆえここでもまた大資本家は大規模な作業所の建設――それによって多くの費用を節約し、同じく大いに分業を推進することができる――を通じて小親方たちをますます駆逐していった。こうして今ではわれわれは、文明諸国においてほとんどすべての労働部門が工場的に営まれ、ほとんどすべての労働部門で手工業とマニュファクチュアが大工業によって駆逐される事態に至っている。それによって、これまでの中間層、とりわけ手工業親方はますます没落していき、労働者の状態は以前とすっかり様変わりし、しだいに他のすべての諸階級を飲み込んでいく二つの新しい階級が形成されていった。すなわち、

I、あらゆる文明諸国においてすでに現在、すべての生活手段およびそれを生産するのに必要な原材料と諸用具（機械、工場）をほぼ独占している大資本家の階級。これがブルジョア階級ないしブルジョアジーである。

Ⅱ、暮らしに必要な生活手段を獲得するために自己の労働をブルジョアに買ってもらわなければならないまったく無所有の階級。この階級がプロレタリア階級ないしプロレタリアートと呼ばれる。

問5　ブルジョアジーへのプロレタリアートの労働の販売はどのような条件のもとでなされるのか？

答え　労働は他のあらゆる商品と同じ一個の商品であり、したがってその価格は他のすべての商品とまったく同じ法則によって規定される。商品の価格は、大工業ないし自由競争――後で見るように両者は結局同じことに帰着する――の支配のもとでは、平均すれば常にこの商品の生産費に等しい。したがって労働の価格も労働の生産費に等しい。そして労働の生産費は、労働者が働き続けることができ労働者階級が死滅しない状態に保つのにちょうど必要なだけの分量の生活手段から成り立っている。それゆえ労働者は、自分の労働と交換に、この目的に必要な分以上のものを受け取らないだろう。労働の価格、すなわち賃金は、生計を維持するのに必要な最低限のものになるだろう。しかし景気はいい時もあれば悪い時もあり、労働者がより多くを受け取ることもあればより少なく受け取ることもある。ちょうど工場主がその商品の対価としてより多くを受け取ることもあればより少なく受け取ることもあるのと同じである。しかし、工場主は、景気のいい時と悪い時とを平均すると、その商品の対価としてその生産費から多くもなければ少なくもない額を受け取るが、それと同じで労働者も平均するとまさにこの最低限から多くもなければ少なくもない額を受け取る。しかも、賃金に関するこの経済法則は、あらゆる労働部門が大工業に制覇されればされるほどますます強力に貫徹されるだろう。

問6 産業革命以前にはどのような労働者階級が存在していたのか?

答え 労働する階級は、社会のさまざまな発展段階に応じて、さまざまに異なった諸関係の中で生活し、有産階級と支配階級とに対してさまざまに異なった地位を有していた。古代においては労働する階級は所有者(Besitzer)の奴隷であった。今日でも多くの後進諸国ではそうだし、アメリカ合衆国でさえ南部では今なおそうである。中世において労働する階級は土地を所有する貴族の農奴であった。ハンガリー、ポーランド、ロシアでは今なおそうである。それに加えて、中世期および前産業革命期には、都市では手工業の徒弟職人が小ブルジョア的親方のもとで働いていた。マニュファクチュアの発展とともにマニュファクチュア労働者がしだいに発生してきたが、彼らはすでにより大規模な資本家に雇われていた。

問7　プロレタリアはどの点で奴隷と異なるのか？

答え　奴隷はまるごと売られるのに対して、プロレタリアは毎日、時間単位で自分自身を売らなければならない。個々の奴隷は一人の主人の所有物であって、この主人の利益からしてもすでに——どれほどみじめなものであれ——その生存が保障されている。個々のプロレタリアはいわばブルジョア階級全体の所有物であり、その労働は誰かに必要とされる場合のみ買われるのであって、生存のいかなる保障もない。この生存が保障されているのはプロレタリア階級全体に対してのみである。奴隷は競争の外部にいるが、プロレタリアはその内部にあり、その変動のいっさいを経験する。奴隷は物（Sache）とみなされ、市民社会の一員とはみなされない。プロレタリアは人とみなされ、市民社会の一員として認識される。したがって奴隷はプロレタリアよりもよい生活をすることができるかもしれないが、プロレタリアは社会のより高い発展段階に属しており、それ自身も奴隷より高い段階に属している。奴隷は自己を解放するためには、あらゆる私的所有関係のうち奴隷関係だけを廃棄すればよく、そのことによって自身が初めてプロレタリアになる。それに対してプロレタリアが自己を解放することができるのは私的所有一般を廃棄することによってのみである。

問8　プロレタリアはどの点で農奴と異なるのか？

答え　農奴は、生産用具と一片の土地に対する占有権（Besitz）と使用権を有し、その代わり収穫の一部を［領主に］引き渡すか夫役（ふえき）を提供する。それに対してプロレタリアは、他者の生産用具といっしょにその他者の責任で働き、その収益の一部を受け取る。農奴は引き渡すのであり、プロレタリアは受け取るのである。農奴は生存を保障されているが、プロレタリアは保障されていない。農奴は競争の外部にいるが、プロレタリアはその内部にいる。農奴は、都市に逃げ出してそこで手工業者になることによって、あるいは夫役や生産物の代わりに貨幣を領主に収めて自由な借地農業者になることによって、あるいはまた、封建領主を追い出して自らが所有者となることによって、要するに、何らかの方法で自ら所有階級になって競争の中に足を踏み入れることによって自己を解放する。それに対してプロレタリアは、競争、私的所有、あらゆる階級差別を廃棄することによって自己を解放する。

問9　プロレタリアはどの点で手工業者と異なるのか？

（半ページ空白）

問10　プロレタリアはどの点でマニュファクチュア労働者と異なるのか？

答え　一六世紀から一八世紀までのマニュファクチュア労働者はほとんどどこでもまだ生産用具を、すなわち自分の手織り機、家族の使う紡ぎ車、仕事の合間に耕す小さな畑を持っていた。プロレタリアはそういったものをまったく持っていない。マニュファクチュア労働者はほとんどいつでも地方で暮らし、自分の地主や雇い主との多かれ少なかれ家父長制的な関係のもとにある。プロレタリアはほとんどの場合大都市に住み、雇い主とは純粋な貨幣関係にある。マニュファクチュア労働者は大工業によってその家父長制的関係から切り離され、彼がまだ保持していた財産［生産手段］を失い、そうして初めて自ら一介のプロレタリアになる。

問11　産業革命が起こって社会がブルジョアとプロレタリアに分裂したことの直接の結果は何か？

答え　第一に、機械労働の結果として工業製品の価格がますます安価になることによって、世界のあらゆる国で、マニュファクチュアの古い制度や手の労働に依拠していた産業が完全に破壊されてしまった。それまで多かれ少なかれ歴史の発展から取り残され、産業がそれまでマニュファクチュアにもとづいていたすべての半未開的な諸国も、その孤立状態から無理やり引きずり出されることとなった。これらの国はイギリス人のより安い諸商品を購入し、それゆえ自国のマニュファクチュア労働者を破滅に追いやった。これまで何千年とまったく進歩のなかった国々、たとえばインドもすっかり変革されてしまい、中国でさえも今や革命へと突き進んでいる。今日、イギリスで発明される一台の新しい機械がわずか一年で中国において何百万もの労働者から糊口を奪うという事態が起こっている。このようにして、大工業は地上のすべての諸国民を相互に結びつけ、あらゆる小規模な地方市場を世界市場にまとめ上げ、あらゆるところで文明と進歩への道を準備した。こうして、文明諸国で起こるあらゆることが他のすべての国々に必然的に反作用するという事態をもたらしたのである。それゆえ、今日、イギリスかフランスで労働者が自己を解放したならば、それは他のあらゆる国で革命を引き起こし、これらの国でも遅かれ早かれ労働者の解放をもたらすことだろう。

第二に、産業革命は、大工業がマニュファクチュアに取って代わったあらゆるところで、ブルジョアジーを、そしてその富と力を最高度に発展させ、ブルジョアジーを国内の第一の階級へと押しあげた。その結果、こうしたことが起きたあらゆるところで、ブルジョアジーは政治権力を手中に収め、これまでの支配的諸階級、すなわち貴族、同業組合の親方、および両者を代表する絶対王政を駆逐した。ブルジョアジーは世襲の権利や土地の売買禁止やその他貴族のあらゆる特権を廃止することによって、貴族層の権力を破壊し個々の貴族を破滅させた。ブルジョアジーはまた、同業組合と手工業者のあらゆる特権を廃止することによって同業組合親方の権力を破壊し、両者に代わって自由競争を導入した。すなわち、誰でもどんな産業部門でも事業を興すことができ、そのための資本が不足しているということ以外には何もその事業を妨げるものがないという社会状態を導入した。自由競争の導入はしたがって、以下のことを公然と宣言することであった。今後、社会の成員は、その資本が不平等であるかぎりでのみ不平等であること、資本が決定的な権力になったこと、したがって資本家、ブルジョアジーが社会の第一の階級になったことである。しかし、自由競争は大工業が繁栄しうる唯一の社会状態なのだから、自由競争は大工業の開始にとって必要不可欠なものである。こうしてブルジョアジーは、貴族と同業組合の親方の社会的権力を破壊することによってその政治的権力をも破壊した。そして、彼らは社会の中で第一の階級に成りあがったことで、政治形態においても自らを第一の階級であると宣言した。ブルジョアジーは代議制を導入することによってそうしたのだが、この制度は、法の前のブルジョア的平等、自由競争の法的承認にもとづいており、ヨーロッパ諸国ではそれは立憲君主制の形態で導入された。この立憲君主制のもとでは、一定額の資本を所持している者だけが、つまりはブルジョアジーだけが有権者になることができる。このブルジョア有権者は代議士を選出し、このブルジョア代議士たちが、納税拒否権を通じて、ブルジョア政府を選出するのである。

第三に、産業革命はいたるところで、それがブルジョアジーを発展させたのと同じ程度でプロレタリアートを発展させた。ブルジョアジーが豊かになるのと同じ程度でプロレタリアートはその数を増していった。プロレタリアは資本によってのみ雇われることができ、資本は労働［者］を雇うことによってのみ自己を増殖させることができるのだから、プロレタリアの増大はまさに資本の増大と足並みをそろえて進行する。それと同時に、産業革命はブルジョアもプロレタリアも大都市に密集させ――工業は大都市において最も儲けの上がる商売ができる――、そして膨大な大衆をこのように一つの場所に集合させることを通じて、プロレタリアに自分たちの強さを意識させる。さらに、産業革命が発展するにつれて、そして新しい機械が発明されて手の労働を駆逐するにつれて、それだけますます、すでに指摘したように大工業は労働者の賃金をその最低限にまで押し下げ、それによってプロレタリアの状態をますます耐えがたいものにする。こうして、産業革命は一方ではプロレタリアートの不満を増大させることによって、他方ではプロレタリアートの力を増大させることによって、プロレタリアートによる社会革命を準備するのである。

問12　産業革命のさらなる結果は何であったか？

答え　大工業は、蒸気機関およびその他の機械を通じて、工業生産物をより短時間でより安い費用で無限に増大させる手段をつくり出した。この大工業から必然的に生まれる自由競争は、このような生産の容易さとあいまって、たちまち極端に激しい性格を帯びるようになった。大勢の資本家が工業になだれ込み、たちまちにして、消費可能であるよりも多くのものが生産されるようになった。その結果、工場で生産された諸商品は売れなくなり、いわゆる商業恐慌が起こる。工場は操業を停止せざるをえなくなり、工場主は破産し、労働者は生活の糧を失う。いたるところで深刻な窮乏が生じる。しかし、しばらくすると過剰な生産物がさばかれ、工場は再び稼働しはじめ、賃金は上がり、しだいに商売は以前よりも活発になっていく。しかし、それも長くは続かない。再びあまりに多くの商品が生産され、新しい恐慌が発生し、そして以前とまったく同じ経過を再びたどる。こうして、今世紀［一九世紀］の初め以降、産業の状態は繁栄期と恐慌期とのあいだを絶え間なく往復し、ほぼ規則的に五年から七年ごとにこのような恐慌が発生している。そしてそのたびに、労働者の深刻な窮乏、全般的な革命的騒擾（そうじょう）、そして現存秩序全体にとって最大級の危機をもたらすのである。

問13　この規則的に繰り返される商業恐慌からどのような事態が生じるのか？

答え　第一に、大工業はその最初の発展期においては自由競争を自ら生み出したにもかかわらず、今では自由競争が自らの手に負えなくなってしまったこと、競争および総じて個々人による工業生産の経営が大工業にとって桎梏（しっこく）となってしまい、それは粉砕されなければならないし、粉砕されるだろうということ、大工業はそれが現在の基礎にもとづいて運営されているかぎり、七年ごとに繰り返される全般的な混乱を通じてしか自己を維持することができず、そのたびに文明全体を脅かし、プロレタリアを窮乏に突き落とすだけでなく、大勢のブルジョアをも破滅させること、したがって、大工業そのものが完全に放棄されなければならないか――それは絶対に不可能である――、さもなくばまったく新しい社会組織、すなわち相互に競争しあう個々の工場主によってではなく、明確な計画と万人の必要にもとづいて社会全体によって運営される組織をまったくもって必然的にすること。

第二に、大工業とそれによって可能となった生産の無制限の拡張のおかげで、あらゆる生活必需品を大量に生産することができ、それによって社会のすべての成員に、そのいっさいの能力と素質とを完全かつ自由に発展させ働かせることのできる社会状況が可能になっていること、それゆえ、今日の社会においてはあらゆる窮乏とあらゆる商業恐慌とを生み出している大工業のまさにこの特質が、別の社会組織のもとでは、この窮乏とこの不幸きわまりない変動性とを根絶するのを可能とする特質であるということ。

したがって以下のことがきわめてはっきりと証明されている。

1、今後、これらいっさいの害悪はもっぱら、もはや現状に適合しなくなった社会秩序のせいであるということ。

2、新しい社会秩序を通じてこれらの害悪を完全に取り除く手段がすでに存在していること。

問14　この新しい社会秩序はどのようなものでなければならないのか？

答え　それは何よりも、工業の経営と総じてあらゆる生産部門を、個々ばらばらのお互いに競争しあう諸個人の手から取り上げて、その代わり、これらのあらゆる生産部門を社会全体によって、すなわち社会全体の責任と社会全体の計画にもとづいて、社会のすべての成員の参加のもとで運営するようにしなければならない。したがってそれは競争を廃棄し、それに代えて協同社会（アソシエーション）を成立させるだろう。ところで、ばらばらの個人による工業の経営は必然的に［生産手段の］私的所有を伴い、さらに競争は個々ばらばらの私的所有者による工業経営の方法に他ならないのだから、私的所有は個々ばらばらの工業経営の仕方や競争と切り離すことはできない。したがって私的所有も同じく廃絶されなければならないだろうし、それに代わって、すべての生産用具を共同で使用し、万人の合意にもとづいてすべての生産物を分かちあう制度、すなわちいわゆる財貨共有制（Gütergemeinschaft）が登場するだろう。しかも、私的所有の廃絶は、工業の発展から必然的に出てくる全社会秩序の転換を最も簡潔かつ最も特徴的な形で総括したものなのだから、共産主義者によって主要な要求として提起されるのも当然である。

問15　すると私的所有の廃絶は以前には不可能だったのか？

答え　そうだ。社会的秩序におけるどんな変化も、所有関係のどんな変革も、もはや古い所有関係に適合しなくなった新しい生産力が生まれたことの必然的な結果である。私的所有そのものもそうやって生まれたのである。というのも、私的所有は常に存在していたわけではなく、中世の終わりごろに、マニュファクチュアという生産の新しい仕方が生まれ、当時存在していた封建的・同業組合的所有に従属することができなかったので、この、古い所有関係に適合しなくなったマニュファクチュアは私的所有という新しい所有形態を生み出した。マニュファクチュアにとって、そして大工業の最初の発展段階にとって、私的所有以外のいかなる所有形態も不可能であり、私的所有にもとづく社会秩序以外のいかなる社会秩序も不可能であった。万人にとって十分な量を生産するだけでなく、社会的［総］資本を増大させ生産力のさらなる発展のための余剰生産物をも生産できるほどにならないかぎり、いつでも常に社会の生産力を自由に処分できる支配階級と貧困な被抑圧階級とが存在した。

これらの諸階級がどのような状態にあるかは生産の発展段階にもとづいている。農耕にもとづいていた中世においては領主と農奴、中世後期の都市では同業組合の親方と職人と日雇い、一七世紀にはマニュファクチュア業者とマニュファクチュア労働者、そして一九世紀には大工場主とプロレタリアである。明らかに、これまで生産力は、万人にとって十分な量を生産できるほどには、そして私的所有がこの生産力にとって桎梏、制限になるほどには発展していなかった。しかし現在、大工業の発展によって、第一に、資本と生産力とが前代未聞の規模で生み出され、この生産力を短期間で無限に増大させうるような手段が存在している。第二に、この生産力は少数のブルジョアの手に集中され、その一方で国民の大多数はますますもってプロレタリアになっていき、ブルジョアジーの富が増大していくのと同じ程度でプロレタリアの状態はますます悲惨で耐えがたいものになっていく。第三に、この巨大で容易に増大する生産力が私的所有とブルジョアを大きく乗り越えて成長したので、社会秩序のうちに最大級の混乱を日々刻々とつくり出しており、今では私的所有の廃棄が可能になっているだけでなく、まったくもって必要不可欠なものになっている。

問16　私的所有の廃棄は平和的方法によって可能だろうか？

答え　そういうことが可能ならそれは望ましいことだろうし、共産主義者は間違いなくそれに反対することはないだろう。共産主義者は、あらゆる陰謀が無意味であるだけでなく有害であることを知りすぎるほど知っている。彼らは、革命が意図的かつ恣意的に引き起こされるものではなく、それはどこでもどの時代でも個々の党派や階級全体の意志や指導からまったく独立した状況の必然的な産物であることを知っている。しかしながら、同時にまた共産主義者は、プロレタリアートの発展がほとんどあらゆる文明諸国で暴力的（ゲバルトザム）に抑えつけられており、こうして共産主義者の敵たちが全力を尽くして事態が革命に至るよう仕向けていることも知っている。それゆえ、［暴力的に］抑えつけられているプロレタリアートがついに革命に向けて突き進むことになるなら、その時には共産主義者は、現在言葉でもってプロレタリアの大義を守っているように行動でもってもそうするだろう。

問17 私的所有の廃絶は一挙にできるだろうか?

答え いやできない。それは、現在すでに存在する生産力を、協同社会（ゲマインシャフト）の確立に必要な水準まで一挙に増大させることができないのと同じである。したがって、プロレタリア革命――その可能性は大いに高まっているが――は徐々にのみ現在の社会を転換していくだろうし、私的所有を廃絶することができるのはただ、それに必要な量の生産手段がつくり出された時になってからだろう。

問18 この革命はどのような発展過程をたどるだろうか?

答え それはまずもって民主主義的国家制度を確立し、それとともにプロレタリアートの間接的ないし直接的な政治的支配を打ち立てるだろう。プロレタリアートがすでに国民の多数派を構成しているイギリスでは直接的に。国民の大多数がプロレタリアだけでなく小農民や都市小市民によっても構成されているフランスやドイツでは間接的に。これらの小農民や都市小市民は今ようやくプロレタリアートに移行しつつあるところであり、彼らのあらゆる政治的利益はますますプロレタリアートに依存するようになり、それゆえ近いうちにプロレタリアートの諸要求に従うようになるにちがいない。これはおそらく第二の闘争を必要とするだろうが、これもプロレタリアートの勝利に終わるしかない。

プロレタリアートは、私的所有を直接攻撃してプロレタリアートの生存を確実に保障する諸方策を実行するための手段として民主主義をただちに利用するのでなければ、民主主義はプロレタリアートにとってまったく役立たないだろう。こうした諸方策の主要なものは、現存する諸関係から必然的な帰結として現在すでに出てきており、それは以下のようなものである。

1、累進課税、高度な相続税、傍系（兄弟、従弟、等）相続の禁止、強制借り上げ、等々によって私的所有を制限すること。

2、土地所有者、工場所有者、鉄道所有者、船舶所有者を、一部は国営工業との競争を通じて、一部は直接に不換貨幣による補償を通じて、徐々に収奪すること。

3、人民の多数派に敵対した反逆者および亡命者の財産を没収すること。

4、国営の農場、工場、作業所において労働を組織しプロレタリアを雇用すること。それを通じて、労働者間の競争を取り除き、工場主に対して――彼らがまだ残っているあいだは――、国家が払うのと同じ水準の賃金を支払わせること。

5、私的所有が完全に廃棄されるまで社会のすべての成員に対して平等な労働義務を課すこと。産業軍の設立。とりわけ農業のためのそれ。

6、国営銀行と国家資本を通じて、またあらゆる私的銀行と銀行家を圧迫することで、信用制度と貨幣業務を国家の手に集中すること。

7、国民に利用可能な資本と労働者とが増大するのに比例して、国営の工場、作業所、鉄道、船舶を増大させ、あらゆる未開墾地を開墾し、すでに開墾されている土地を改良すること。

8、すべての子どもを、母親による育児を必要としない年齢になるやいなや、国家の施設を用いて国家の費用で教育すること。教育を工場での生産と結びつけること。

9、市民のさまざまな自治団体のための共同の居住施設として国有地に大規模な住宅群を建設すること。これらの自治団体は工業だけでなく農業も経営し、都市生活と農村生活のそれぞれの長所を結びつけ、両生活様式に見られる一面性と不利益とを免れるようにする。

10、不衛生で不適切に建設されたあらゆる住宅と居住区を取り壊すこと。

11、非嫡出子に嫡出子と同等の相続権を与えること。

12、輸送手段を国家（Nation）の手に集中すること。

これらの諸方策は当然ながら一度で実現できるものではない。だが、一つの方策は常に別の方策へとつながっていくだろう。そして私的所有に対していったん最初の抜本的な攻撃がなされたなら、プロレタリアートはあらゆる資本、あらゆる農業、あらゆる工業、あらゆる輸送、あらゆる交換をますます国家（Staat）の手に集中することを余儀なくされるだろう。先に述べた諸方策はすべてこのことに寄与する。そして、プロレタリアートの労働を通じて国の生産力が増大するのに正確に比例して、これらの方策はますます実現可能なものになり、これらの集中による結果はますます積極的なものになるだろう。最終的に、すべての資本、すべての生産、すべての交換が国家（Nation）の手に集中されるならば、私的所有はおのずと没落し、貨幣は余計なものとなるだろう。そして生産が著しく増大し、人間が大きく変化するので、旧社会のこの最後の交換形態も消滅するだろう。

問19　この革命はただ一国だけで起こりうるだろうか？

答え　いや起こらない。大工業はすでに世界市場を創出することによって地上のあらゆる国民を、とりわけ文明国の諸国民を相互に結びつけており、そのため個々のどの国民も他の国民に起こることに依存している。さらに大工業はすべての文明諸国において社会の発展を著しく均等化させているため、これらの諸国ではブルジョアジーとプロレタリアートが社会の二つの決定的な階級をなし、両者間の闘争が現代における主要な闘争となっている。したがって共産主義革命はけっして一国的なものではないだろう。それは、すべての文明諸国で、すなわち少なくとも、イギリス、アメリカ、フランス、ドイツで同時に起こる革命になるだろう。これらの国々で革命がより急速に発展するのか、より緩慢に発展するのかは、それぞれの国がより発達した産業、より大きな富、より多くの利用可能な生産力を有しているかどうかによる。したがってそれを遂行することは、ドイツでは最も緩慢で困難であり、イギリスでは最も急速で容易だろう。それはまた世界の残るすべての諸国にもはっきりとした反作用を及ぼし、それらの諸国のこれまでの発展様式を一変させ、発展を著しく促進するだろう。それは世界的（ユニバーサル）な革命であり、したがって世界的な基盤で起こるだろう。

問20　私的所有を完全に取り除いた結果はいかなるものだろうか？

答え　まずもって、社会が私的資本家たちの手から、生産物の交換と分配のみならず生産力と交通手段の全体を利用する力を取り上げ、それを手持ちの諸手段と社会全体の必要とから生じる一個の計画にもとづいて運営し、そのことによって、現在は大工業の経営にまとわりついているさまざまな害悪のいっさいが取り除かれるだろう。恐慌は消滅する。それゆえ生産の拡大は――現在の社会秩序においては過剰生産をもたらし窮乏の強力な原因となっているのだが――、もはやこれで十分ということはなくなって、ますますもって進展するにちがいない。社会の直接的な必要を超えた過剰生産は、窮乏を生み出すのではなくて、万人の必要を確実に満たし、新しい欲求をも生み出し、それと同時にそれらを満たすための諸手段をもつくり出すだろう。それは新しい進歩の条件および動機づけになるだろうし、これまでと違って社会秩序を混乱に巻き込むのではなく、この進歩を完成へと導くだろう。私的所有の重荷から解放された大工業はその規模をますます拡大させ、現在の発展水準でさえ、ちょうどマニュファクチュアを現在の大工業と比べた時のようにちっぽけなものに見えるだろう。工業のこのような発展のおかげで、社会は十分な量の生産物を自由に利用することができ、それによって万人の欲求を満たすことができるだろう。同じことは農業についても言える。現在は私的所有の重荷と土地の細分化のせいで、すでになされた改良と科学的成果とを利用することが妨げられているのだが、その農業でも、まったく新しい飛躍が起こり、社会にまったく十分な量の農業生産物を供給することができるようになるだろう。このようにして社会は十分な量の生産物を生み出し、すべての成員の欲求を満たすよう分配を調整することができるようになるだろう。

それによってまた、社会が、相互に対立する異なった諸階級に分裂していることは余計なことになるだろう。それは余計であるというだけでなく、新しい社会秩序とは相容れないものである。諸階級の存在は分業から生じているのだが、これまで存在したような形態の分業はすっかり姿を消してしまうだろう。なぜなら、工業生産と農業生産を先に述べたような高さにまで引き上げるには機械的・化学的な補助手段だけでは十分ではないからである。それに応じて、これらの補助手段を使いこなす能力も人間のうちに同じ程度に発達していなければならない。前世紀の農民とマニュファクチュア労働者が大工業に巻き込まれるにつれて、その生活様式全体が変化し、また彼ら自身もまったく別の人間にならなければならなかったように、社会全体による生産の共同運営とそこから生じる生産の新たな発展はまったく異なった人間を必要とするし、それを生み出すだろう。生産の共同運営は、現在のような人間、すなわち何らかの一生産部門に従属し、そこに縛りつけられ、そこで搾取され、他のすべての素質を犠牲にしてたった一つの素質のみを発展させ、総生産の一部門ないしその中のさらに一小部門しか知らないような人間、そういう人間によっては行なわれえない。現在の工業でさえすでにこのような人間をますます必要としなくなっている。社会全体によって運営される共同的かつ計画的な工業は何よりも、あらゆる方面に素質を発達させ生産のシステム全体を見通すことのできる全面的な人間を前提としている。ある者は農民に、別の者は靴職人に、第三の者は工場労働者に、第四の者は株式の投機屋になるといったような、現在すでに機械によって掘りくずされつつある分業はしたがって、完全に姿を消すだろう。〔産業〕教育を通じて、若者たちは生産の全体系をひと通り遂行することが短期間にできるようになり、各人は、社会の必要やそれぞれの好みにもとづいて一連の生産部門を次々と移っていくことができるようになるだろう。したがって、現在の分業が各人に押しつけている一面的な性格は取り除かれるだろう。このようにして、共産主義的に組織された社会は各成員に、自らの素質を全方面に発達させ、それを全面的に働かせる機会を与えるだろう。しかしそれによって、異なった諸階級も必然的に消え去るだろう。したがって、共産主義的に組織された社会は、一方では階級の存続と相容れないし、他方では、この社会の成立それ自体がこの階級差別を廃棄するための手段を提供するのである。

以上のことから、都市と農村との対立もまた消えてなくなるだろう。農業の運営と工業の運営とが、二つの異なった階級によってではなく同じ人々によって行なわれることは、まったく物質的な理由からしても共産主義的な協同社会（アソシエーション）にとっての必要条件である。農業に従事している住民が農村に分散している一方で、工業に従事している住民が大都市に密集しているという状況は、農業と工業がまだ未発達である段階に照応したものに他ならず、それがさらなる発展にとっての障害物になっていることは今日すでにはっきり感じられるものとなっている。

生産力を共同的かつ計画的に利用するために社会の全成員を包含する普遍的な協同社会（アソシエーション）をつくり出すこと、万人の欲求を満たすほどに生産を拡張すること、誰かの欲求を満たすために他の人々の必要を犠牲にするような状態をなくすこと、階級と階級対立を全面的に廃絶すること、これまでのような［一面的な］分業を取り除き、産業教育をほどこし、さまざまな仕事を交代で遂行することを通じて、また、万人によって生産された富の享受にすべての人を参加させ都市と農村との融合をはかることを通じて、社会のすべての成員の能力を全面的に発達させること――以上が私的所有を廃絶したことの主な結果である。

問21　共産主義的な社会秩序は家族にどのような影響を及ぼすだろうか？

答え それは、両性の関係を当事者のみが関わる純粋な私的関係にし、社会はそれにいっさい干渉しないだろう。それが可能となるのは、共産主義的な社会秩序が私的所有を取り除き、子どもを社会全体で養育し、そうすることによってこれまでの［ブルジョア的］婚姻の二つの基盤を一掃するからである。すなわち、私的所有を通じた夫への妻の従属と両親への子どもの従属である。これは、共産主義による女性共有制に反対する超道徳的な俗物どもの非難に対する回答にもなっている。女性共有制というのは、完全にブルジョア社会に属するものであって、今日、売買春のうちに完全に実現されている関係のことである。しかし売買春は私的所有にもとづいており、後者の没落とともに没落する。したがって、共産主義的［社会］組織は女性共有制を導入するのではなく、むしろそれを廃棄するのである。

問22 共産主義的［社会］組織は既存の諸民族に対してどのような関係に立つだろうか？

——そのまま。［さまざまな身分や階級の諸区別がその土台である私的所有が廃止されることで消え去るのとまったく同様に、共同体の原理にもとづいて相互に団結する諸国民の民族性は、この団結の結果として相互に融合しあい、こうして消滅せざるをえないであろう。[2]」

問23　共産主義的［社会］組織は既存の宗教に対してどのような関係に立つだろうか？

――そのまま。［これまでの宗教はみな、個々の民族または民族集団の歴史的な発展諸段階を表現するものであった。だが共産主義は、あらゆる既存の宗教を余計なものにし消滅させるような歴史的発展段階である。[3]］

問24　共産主義者は社会主義者とどのように異なるのか？

答え　いわゆる社会主義者は三つの部類に分かれる。

第一の部類は封建的・家父長制的社会の支持者からなるが、そのような社会は、大工業と世界商業によって、またその両者によってつくり出されたブルジョア社会によってすでに破壊されてしまったか、日々破壊されつつある。このタイプの社会主義者は、現在の社会から生じるさまざまな害悪を見て、封建的・家父長制的社会にはそうした害悪がなかったのだから、この封建的・家父長制的社会を復活させなければならないという結論を引き出す。彼らの提案はすべて直接的にか回り道をしてこうした目標を目指すものである。このタイプの反動的社会主義者は、プロレタリアートの窮状に同情を表明したり嘆き悲しんだりするが、共産主義者は彼らと精力的に闘わなければならない。なぜなら、

1、そのようなことはまずもってまったく不可能だからである。

2、彼らは、貴族、同業組合の親方、マニュファクチュア業者の支配を、絶対王政ないし封建的王政、官僚、兵士、僧侶とともに復活させようとする試みであって、そうした社会はたしかに現在の社会の害悪は免れているかもしれないが、少なくともその害悪と同じぐらいの数の害悪を抱えており、それでいて共産主義的［社会］組織を通じて被抑圧労働者を解放する展望を何ら示さないからである。

3、彼らは、プロレタリアートが革命的かつ共産主義的になれば必ずその真の意図を露わにし、プロレタリアアに対抗してただちにブルジョアジーと同盟するからである。

第二の部類は、現在の社会を支持する者たちからなっている。彼らは、この社会から必然的に生じる害悪を見て、この社会の存続可能性に懸念を抱いている。したがっ

て、現在の社会を維持しようとしながらも、それと結びついた害悪だけを取り除こうとする。この目的のために、ある者は単なる慈善的方策を提案し、他の者は壮大な改革計画を提案するが、それらは、社会を立て直すという口実のもとに現在の社会の土台を維持し、したがって現在の社会そのものを維持しようとするものである。共産主義者はこのようなブルジョア的社会主義者とも継続的に闘わなければならない。なぜなら彼らは共産主義者の敵のために働いており、まさに共産主義者が破壊しようとしているその当の社会を擁護しているからである。

最後に、第三の部類は民主主義的社会主義者からなっている。彼らは、共産主義者と同じように、問18の中で列挙された諸方策の一部を採ることを望むが、共産主義への過渡的手段としてではなく、現在の社会の窮状を一掃しその害悪をなくすのに十分な方策としてである。これらの民主主義的社会主義者は、自己の階級の解放条件についてまだ十分に理解していないプロレタリアであるか、小ブルジョアの代表者たちである。この階級は、民主主義の獲得とそこから生じる社会主義的諸方策の実現までは、多くの点でプロレタリアと同一の利害を持つ。したがって共産主義者は、これらの社会主義者が支配的ブルジョアジーに奉仕したり共産主義者を攻撃するのでないかぎり、行動の際にはこれらの民主主義的社会主義者と連携し、当面、可能なかぎり彼らと共通の政策を追求するべきだろう。もちろん、このような共同行動は彼らとの意見の相違を議論することを排除するものではない。

問25　今日、共産主義者はそれ以外の諸政党に対してどのような関係にあるのか？

答え　この関係は国によって異なる。ブルジョアジーが支配しているイギリス、フランス、ベルギーでは、共産主義者は当面、さまざまな民主主義的諸党派と共通の利益を有しており、しかも民主主義者が現在いたるところで主張している社会主義的諸方策が共産主義者の目的に近づけば近づくほど、つまり彼らがプロレタリアートの利益を明確かつはっきりと支持するようになり、プロレタリアートに依拠するようになればなるほど、ますますもってそうなる。たとえばイギリスでは、すべて労働者からなるチャーチストは民主主義的小ブルジョアやいわゆる急進派よりもはるかに共産主義者に近い。

民主主義的な憲法がすでに導入されているアメリカでは、共産主義者は、この憲法の矛先をブルジョアジーに差し向けてプロレタリアートの利益のためにそれを利用しようとする党派と提携しなければならない。すなわち農民的なナショナル・レフォーマー[4]と提携しなければならない。

スイスでは、急進党は今なお非常に雑多な要素の入り混じった党であるとはいえ、同党が共産主義者と提携できる唯一の党である。そしてこの急進党の中でもボー州とジュネーブの急進党が最も進歩的である。

ドイツでは、ようやくブルジョアジーと絶対的君主制とのあいだの決戦が差し迫っている。しかしながら、ブルジョアジーが支配する時まで共産主義者は自分たちとブルジョアジーとのあいだの決戦を想定することができないので、できるだけ速やかにブルジョアジーを打倒するために、できるだけ速やかにブルジョアジーが支配権を獲得するのを助けることは共産主義者にとって利益となる。したがって、共産主義者は政府に対抗して常に自由主義的なブルジョア政党を支持するが、その際、ブルジョアの自己欺瞞を共有したり、ブルジョアジーの勝利がプロレタリアートにもたらす恩恵に関する彼らの偽りの約束を信じてはならない。ブルジョアジーの勝利が共産主義者に与える唯一の利益は次の点にある。

1、獲得されたさまざまな譲歩のおかげで、共産主義者が自分たちの原理を擁護し議論し普及することがより容易になり、それによってプロレタリアートを、より緊密に結ばれ戦闘準備を整え組織された階級へと団結させることがより容易になること。
2、絶対主義的政府が倒れたその日から確実に、ブルジョアとプロレタリアとのあいだの闘争の順番がやって来ること。この瞬間から、共産主義者の党政策は、ブルジョアジーがすでに支配している国々と同じものになるだろう。

一八四七年一〇月末から一一月にかけて執筆
Friedrich Engels, *Grundsätze des Kommunismus*

訳注

（1）ほぼ同時期に書かれたエンゲルス「共産主義者とカール・ハインツェン」における次の一節も参照——「共産主義は教義ではなくて、一つの運動である。それは原理からでなくて、事実から出発する。共産主義者はあれこれの哲学を前提とするのではなく、これまでの歴史全体、特殊的には文明諸国における現在の事実上の諸成果を前提とする。共産主義は、大工業とその諸結果、世界市場の追求、それとともに起こった野放図な競争、ますます激烈かつ全面的なものになって今ではもう完全な世界市場恐慌となった商業恐慌、プロレタリアートの発生と資本の集積、その結果としてのプロレタリアートとブルジョアジーとの階級闘争の中から生まれた。共産主義は、理論に関するかぎりでは、この闘争におけるプロレタリアートの地位の理論的表現であり、プロレタリアートの解放条件の理論的総括である」（邦訳『マルクス・エンゲルス全集』第四巻、大月書店、三三八〜三三九頁）。

（2）「共産主義の原理」は、シャッパーが起草したと推定されている「共産主義者の信条表明草案」（エンゲルスの筆跡によるものが残されている）にもとづいており、その問21の答えを念頭に置いて、「そのまま」とエンゲルスが書いたと思われる。なので、その一文をここに入れておいた。訳文は、服部文男訳『共産党宣言／共産主義の諸原理』（新日本出版社、一九九八年）に所収のものを参照した。

（3）同じく、「共産主義者の信条表明草案」の問22の答えより。

（4）ナショナル・レフォーマー……この団体は、勤労者への土地の無償給付、一〇時間労働制、奴隷制や常備軍の廃止などの要求を掲げていた。この団体には亡命ドイツ人の職人も多数参加していた。この団体についてマルクスとエンゲルスは「クリーゲに関する回状」の中で次のように述べている――「われわれは、アメリカのナショナル・レフォーマーの運動を歴史的に正当なものと認めて、完全にこれを承認するものである。われわれの知るところでは、この運動の追求する結果は、たしかにさしあたり近代ブルジョア社会の産業主義を促進するだろうが、しかしプロレタリアの運動の結果として、また一般的には土地所有に対する攻撃として、また特殊的にはアメリカに存在する諸関係のもとで、それ自身の必然的帰結により、共産主義への方向をたどるにちがいない」（邦訳『マルクス・エンゲルス全集』第四巻、七頁）。

『共産党宣言』

［3］妖怪がヨーロッパを徘徊している――共産主義という妖怪が。古いヨーロッパのあらゆる権力がこの妖怪を狩り立てる神聖な事業のために同盟を結んでいる。ローマ教皇とツァーリ、メッテルニヒとギゾー、フランスの急進派とドイツの警察が。(1)

およそ反政府党であって、敵たる政府の側から共産主義者だとののしられなかった者がいるだろうか？　およそ反政府党であって、より反動的な政敵に対してのみならず、自分より進歩的な反政府党に対しても、共産主義者だとの非難のレッテルを投げ返さなかった者がいるだろうか？　この事実から二つのことが言える。

共産主義はすでにヨーロッパのすべての権力から一個の力と認められていること。

共産主義者が全世界を前にして自己の見解、自己の目的、自己の企図を公然と表明し、共産主義の妖怪というおとぎ話に党自らの宣言を対置すべき時であること。

この目的のため、さまざまな国と民族の共産主義者がロンドンに集まって以下の宣言を起草した。この宣言は、英語、フランス語、ドイツ語、イタリア語、フラマン語、デンマーク語で出版される。(2)

I ブルジョアとプロレタリア

これまでのあらゆる社会の歴史は階級闘争の歴史である。

自由民と奴隷、貴族と平民、領主と農奴、同業組合の親方と職人、一言でいえば抑圧者と被抑圧者とは常に相互に対立しあい、時に隠然と時に公然と絶えまない闘争を繰り広げてきた。この闘争はいつでも社会全体の革命的変革に至るか、あい闘う階級の共倒れに終わった。

歴史のこれまでの諸時代にあっては、ほとんどどこでも社会はさまざまな身分に完全に区分され、社会的地位は種々雑多な階層に分かれていた。古代ローマには［4］貴族、騎士、平民、奴隷がおり、中世には、封建領主、家臣団、同業組合の親方、職人、農奴がいた。しかも、これらの階級のいずれもたいていはさらに特殊な階層に分かれていた。

封建社会の没落から生じた近代ブルジョア社会は階級対立を破棄しはしなかった。新しい階級、新しい抑圧条件、新しい闘争形態が古いそれらに取って代わっただけだった。

しかしながら、われわれの時代、すなわちブルジョアジーの時代は、階級対立を単純化したという特徴を持っている。社会全体はしだいに、敵対する二大陣営に、相互に直接対立しあう二大階級に、つまりはブルジョアジーとプロレタリアートに分裂していく。

中世の農奴から初期の諸都市における城外市民[3]が輩出され、この城外市民からブルジョアジーの最初の要素が発展した。

アメリカ大陸の発見とアフリカ航路の開発は、台頭しつつあったブルジョアジーに新天地を切り開いた。東インドと中国の諸市場、アメリカの植民地化、各植民地との交易、交換手段と商品一般の増大は、商業、海上交通、工業にかつてない巨大な刺激を与え、そのことによって、没落しつつあった封建社会の中に革命的要素を急速に発展させた。

これまでの封建的ないし同業組合的な工業経営は、新しい市場に伴って拡大した需要をもはや満たせなくなった。マニュファクチュアがそれに取って代わった。同業組合の親方たちは工業的中間層［マニュファクチュア業者］によって駆逐された。さまざまな同業組合間の分業は個々の作業所内の分業によって姿を消した。

その間にも市場はますます拡大し、需要はうなぎ上りに増大した。マニュファクチュアでさえもはや間に合わなくなった。蒸気と機械が工業生産を変革した。マニュファクチュアに代わって近代大工業が登場し、工業的中間層に代わって、工業的億万長者にして一大工業軍の指揮官である近代ブルジョアが登場した。

大工業は世界市場をつくり出したが、それを準備したのがアメリカの発見だった。世界市場は商業、航海、陸上交通に途方もない発展をもたらした。これはこれで工業の拡大に反作用した。そして、工業、商業、航海、鉄道が拡大するのと同じ度合いでブルジョアジーは発展し、その資本を増大させ、中世から引き継がれていたあらゆる階級をはるか後方に押しのけた。

したがって、近代ブルジョアジー自身が長い発展過程の産物なのであり、生産・交換様式における一連の変革の産物なのである。

ブルジョアジーはこれらの各発展段階に応じて政治的進歩を遂げていった。彼らはまず、封建領主の支配のもとでは被抑圧身分であった。中世の自治都市（コミューン）では、武装した自治団体（アソシエーション）であり、ある所では独立した都市共和国、ある所では君主制のもとで納税義務を負った第三身分であった。その後、マニュファクチュア時代には、身分制的ないし絶対的君主制のための、貴族への対抗錘としての役割を果たし、総じて大君主国を支える支柱であった。そしてついにブルジョアジーは、近代工業と世界市場を成立させて以降、近代の代議制国家を通じて排他的な政治支配を勝ち取った。近代の国家権力は、ブルジョア階級全体の共同事務を処理する委員会にすぎない。

［5］ブルジョアジーは歴史においてすぐれて革命的な役割を果たした。

ブルジョアジーは、支配権を握ったところではどこでも、あらゆる封建的・家父長制的・牧歌的諸関係を破壊した。人々をその生まれながらの上位者に縛りつけていた種々雑多な封建的紐帯（ちゅうたい）を容赦なくばらばらに引きちぎり、人と人とのあいだに、剝き出しの利害関係、冷ややかな「現金勘定」以外のいかなる絆も残さなかった。宗教的熱狂、騎士道的高揚感、小市民的感傷の聖なる陶酔感を、利己的計算の冷たい氷水の中に溺れさせた。人格的価値を交換価値に還元し、特許状で正式に認められた種々雑多な自由を、臆面もなくたった一つの自由たる商業の自由に置きかえた。要するにブルジョアジーは、宗教的・政治的幻想によって覆われた搾取を、公然たる恥知らずで直接的で剝き出しの搾取に置きかえたのである。

ブルジョアジーは、これまで尊ばれ畏敬の念をもって仰ぎ見られていたあらゆる職業からその後光を奪い去った。医者、弁護士、聖職者、詩人、学者を、ブルジョアジーに雇われた賃労働者に転化した。

ブルジョアジーは、家族関係からもその情緒的で感傷的なヴェールを剝ぎとり、それを純然たる金銭関係に還元した。

ブルジョアジーは、反動家たちが賛美してやまない中世における荒々しい力の誇示の背後に、それと裏腹のものとしていかに不活発な怠惰が潜んでいたかを暴露した。ブルジョアジーは、人類の活動がどれほどのことをなしうるのかを初めて示した。ブルジョアジーは、エジプトのピラミッド、ローマの大水道、ゴチック様式の大聖堂をはるかに凌ぐ壮大な奇跡的事業を成し遂げ、かつての民族大移動や十字軍も色褪せるような大遠征を行なった。

ブルジョアジーは、生産用具に、したがって生産諸関係に、したがってまた社会的諸関係の全体に絶えず革命を引き起こすことなしに存在することはできない。それに対して、これまでの古い産業諸階級の第一の存在条件は古い生産様式を不変のまま維持することであった。生産の絶えざる変革、あらゆる社会状態の絶えまない動揺、永遠の不安定さと運動、これこそこれまでのあらゆる時代からブルジョア時代を分かつ特徴である。あらゆる凝り固まって錆びついた諸関係は、それに付随する古色蒼然とした観念や見解ともども解体され、新たに形成された諸関係も固まりきってしまう前に古臭くなる。あらゆる固定的なものや永続的なものは雲散霧消し、あらゆる神聖なものは冒瀆され、こうして人々はついには、自分たちの生活条件、自分たちの相互関係を冷めた目で見ざるをえなくなる。

ブルジョアジーは、その生産物のための販路を絶えず拡大していく必要に駆り立てられて、地球上を駆け回る。彼らはあらゆるところに住みつき、あらゆるところに根を張り、あらゆるところに結びつきを作らなければならない。

ブルジョアジーは、世界市場を開拓することを通じてあらゆる国の生産と消費をコスモポリタンなものにした。彼らは産業の足元から国民的基盤を奪い去ることによって、反動家たちを大いに嘆かせた。古くからの国内産業は滅ぼされ、日々滅ぼされつつある。それは新しい産業によって駆逐されているが、それの導入はすべての文明国にとって死活問題となっている。新しい産業はもはや国内産の原料ではなく、はるか遠方の土地で産する原料を加工し、それによって生産される製品は、自国だけでなく、すべての大陸で同時に消費される。国内産の製品で満たされていた古い欲求に代わって、はるか遠方の国々や気候の産物でなければ満たされない新しい欲求が登場する。古い地方的で国内的な自給自足と閉鎖性に代わって、全面的な交換、諸国民の全面的な相互依存［6］が現われる。そして物質的生産だけでなく、精神的生産においても同じことが起こる。個々の国民の精神的創造物は共有財産となる。各国の民族的な一面性と偏狭さはますます不可能になり、無数の国民文学や地方文学から世界文学が生まれてくる。

ブルジョアジーは、あらゆる生産用具を急速に改良し、運輸交通を絶えまなく容易にすることによって、あらゆる国民を、最も未開な国民を含めて文明の中に引きずり込む。安価な商品という重砲は、どんな万里の長城をも打ち破り、未開人のどんな頑固な外国人嫌いをも降伏させる。ブルジョアジーは、すべての国民に、滅びたくなければブルジョアジーの生産様式を取り入れることを余儀なくさせる。彼らは、あらゆる国民にいわゆる文明を自国に取り入れるよう、すなわちブルジョアになるよう強要する。一言で言うと、ブルジョアジーは自分の姿に似せて世界をつくり出す。

ブルジョアジーは農村を都市の支配に従わせた。彼らは巨大都市をつくり出し、都市の人口を農村よりもはるかに増大させ、住民のかなりの部分を農村生活の蒙昧（もうまい）さから引きずり出した。農村を都市に依存させ、未開国および半未開国を文明国に依存させ、農民諸国をブルジョア諸国に、東洋を西洋に依存させた。

ブルジョアジーは、生産手段、所有（Besitz）、人口の分散状態をますます廃棄する。彼らは人口を密集させ、生産手段を集積し、所有（Eigenthum）を少数の手に集中する。そのことから生じる必然的結果は政治的中央集権化であった。別々の諸利害、諸法律、諸政府、諸関税を持った独立した諸邦の連合体のようなものでしかなかったものが、一個の国家、一個の政府、一個の法律、一個の国民的階級利害、一個の関税領域にまとめあげられた。

ブルジョアジーはその一〇〇年足らずの階級支配のあいだに、過去のすべての世代を合わせたよりもはるかに大規模で巨大な生産力をつくり出した。自然の諸力の征服、機械の発明、工業と農業への化学の応用、蒸気船、鉄道、電信、いくつもの大陸の開墾、巨大運河の建設、地から湧き出てきたような膨大な住民群――これほどの生産力が社会的労働の胎内で眠っていようとは、これまでのどの世紀が予想しただろうか？

ところで、すでに見たように、ブルジョアジーを育成する基盤となった生産・交換手段は封建社会の中で生み出されたものである。これらの生産・交換手段がある一定の発展段階に達すると、封建社会の生産・交換諸関係、農業とマニュファクチュアの封建的諸組織、一言でいうと封建的所有関係は、すでに発達していた生産力ともはや照応しなくなった。それは生産を促進するのではなく妨げるようになった。それは桎梏に転化した。それは粉砕されなければならなかったし、粉砕された。

それに代わって登場したのが、自由競争とそれに適合した社会的・政治的構造であり、ブルジョア階級の経済的・政治的支配であった。

今われわれの目の前でそれとよく似た運動が進行しつつある。ブルジョア的生産・交換諸関係、ブルジョア的所有関係、すなわち近代ブルジョア社会は、かくも巨大な生産・交換手段をまるで魔法のごとく出現させたが、それは、自ら呪文で呼び出した冥界の力をもはや制御することができなくなったあの魔法使いに似ている。［7］この数十年来の工業と商業の歴史は、近代の生産諸関係、ブルジョアジーとその支配の存立条件である所有関係に対する、近代生産力の反逆の歴史に他ならない。周期的にブルジョア社会を襲い、ますます全ブルジョア社会の存立を脅かしている商業恐慌を挙げれば十分だろう。商業恐慌においては、生産された生産物の大部分だけでなく、すでにつくり出されていた生産力のかなりの部分もきまって破壊される。恐慌の際には、これまでのどの時代にあっても不条理と思えるような社会的疫病が発生する――過剰生産という疫病が。社会は突如として一時的に野蛮状態へと逆戻りする。まるで飢饉や全般的な破壊的戦争によってすべての生活手段の供給が断ち切られ、工業も商業も壊滅してしまったかのようになる。なぜか？　あまりに多くの文明、あまりに多くの生活手段、あまりに多くの工業、あまりに多くの商業が社会に存在するからである。社会がわがものとしている生産力はもはやブルジョア文明やブルジョア的所有関係を促進するのではなく、その反対にこの所有関係にとって巨大になりすぎてしまい、この所有関係のせいで発展を妨げられている。生産力がこの障害を［恐慌を通じて］突破するやいなや、ブルジョア社会の全体を無秩序の中に投げ込み、ブルジョア的所有の存在を脅かす。ブルジョア的諸関係は、それによってつくり出された富を入れるにはあまりにも狭いものになった。ブルジョアジーはこの恐慌をどのようにして克服するのか？　一方では大量の生産力を破壊することを余儀なくされることによって、他方では新しい市場を獲得し、古い市場をより徹底して利用することによってである。つまりどのようにしてか？　いっそう全面的でいっそう強力な恐慌を準備し、また恐慌を予防する手段を減らすことによってである。

ブルジョアジーによって封建制を打ち倒すのに用いられた武器が今やブルジョアジー自身に向けられている。

しかし、ブルジョアジーは自分に死をもたらす武器を鍛えただけでなく、この武器を扱う人々をも生み出した――近代労働者、プ、ロ、レ、タ、リ、ア、を。

ブルジョアジー、すなわち資本が発展するのに比例して、近代労働者の階級であるプロレタリアートも発展する。彼らは、仕事にありつくことができるあいだだけ生きることができ、自分たちの労働が資本を増やすことができるあいだだけ仕事にありつける。これらの労働者は自分自身を切り売りしなければならず、他のどんな商業物品とも同じ一個の商品であり、したがって同じように競争のあらゆる有為転変、市場のあらゆる変動にさらされる。

プロレタリアの労働は機械の普及と分業の発達によってすっかり独立した性格を失

い、労働者にとってのあらゆる魅力も失われた。労働者は機械の単なる付属物と化し、最も単純かつ単調で、最も簡単に覚えることのできる操作だけが求められる。それゆえ、労働者にかかる費用は、彼らの生活を維持しその種を繁殖させるのに必要な生活手段にほとんどかぎられる。しかし、商品の価格、したがってまた労働の価格はその生産費と等しい。それゆえ労働の不快さが増大するのに比例して、賃金も下がっていく。さらに、機械と分業が進展するにつれて、労働の分量も増大する。労働時間が延長されることによってであれ、あるいは機械の運転速度が増して所与の労働時間中に支出される労働量が増大することによってであれ、だ。

近代工業は、家父長的な親方たちの小さな仕事部屋を産業資本家たちの大工場に転化した。労働者たちは［8］大量に工場へと詰め込まれ、兵士のように組織される。彼らは一般の産業兵卒として、［産業］下士官と［産業］将校の完璧なヒエラルキーの監督下に置かれる。彼らはブルジョア階級、ブルジョア国家の下僕であるだけでなく、機械に、監督者に、そして何よりも、工場主たる個々のブルジョア自身にも、毎日、毎時間、隷属させられる。この専制は、その最終目的が金儲けであることが公然と宣言されればされるほど、ますます矮小で、不愉快で、腹立たしいものとなる。

手の労働がますます熟練と力の発揮を必要としないものになればなるほど、つまり近代工業が発展すればするほど、それだけますます男性の労働は女性と子どもの労働によって駆逐されていく。性と年齢の区別はもはや労働者階級にとって社会的に通用しないものとなる。存在するのは、年齢と性の違いによって費用が異なる労働用具だけである。

工場主による労働者の搾取が一段落して労働者に現金で賃金が支払われるやいなや、ブルジョアジーの他の諸部分、すなわち家主、商店主、質屋などが労働者に襲いかかる。

これまでの小中間層、すなわち小工業家、小商人、金利生活者、手工業者、農民、これらすべての階級はプロレタリアートに転落する。一部は、彼らの小資本が大工業を経営するのに不十分でより大きな資本家との競争に敗れ去るからであり、一部は、彼らの熟練が新しい生産様式によって無価値になるからである。こうして、プロレタリアートは住民の中のあらゆる階級から補充される。

プロレタリアートはさまざまな発展段階を経てきた。ブルジョアジーに対する彼らの闘争はその存在とともに始まる。

最初は個々の労働者が、ついで一工場の労働者が、次に一労働部門の労働者、一地域の労働者が、自分たちを直接搾取している個々のブルジョアと闘争する。労働者はブルジョア的生産関係に対してだけでなく、生産用具そのものにも攻撃の矛先を向ける。彼らは競合する外国商品を破壊し、機械を打ちこわし、工場に放火し、中世労働者の失われた地位を取り戻そうとする。

この段階では労働者はまだ国中に散らばっていて、競争によって分裂した群衆をなしている。多数の労働者が結合する場合でも、それはまだ彼ら自身の団結の結果ではなく、ブルジョアジーの団結の結果である。ブルジョアジーは自分たち自身の政治的目的を達成するために、プロレタリアート全体を運動に引き入れなければならず、さしあたりそうすることができるからである。したがってこの段階では、プロレタリアは自分の敵と闘うのではなく、自分の敵の敵と闘っている。すなわち、絶対君主制の残滓(ざんし)、土地所有者、非工業ブルジョア、小ブルジョアと。それゆえ、歴史的運動の全体はブルジョアジーの手に集中しており、それによって獲得される勝利はすべてブルジョアジーの勝利である。

しかし、工業の発展とともにプロレタリアの人数が増えるだけではない。彼らは巨大な集合体へと結合し、その力は増大し、ますますそれを自覚するようになる。機械がますます労働の差異を消滅させ、ほとんどどこでも賃金を同一の低い水準に押し下げることによって、プロレタリアート内部の利害、生活条件はますます均等化する。ブルジョア同士の競争の激化とそこから生じる商業恐慌は、ますます労働者の賃金を大きく変動させる。機械の絶えまない改良、そのますます急速になる発展は、労働者の生活状況の全体をますます不安定なものにする。個々の労働者と個々のブルジョアとの衝突はますます二つの階級の衝突という性格を帯びる。それにともなって、労働者は［9］ブルジョアに対抗して組合（Coalitionen）を形成しはじめ、自分たちの賃金を維持するために結集するようになる。その時々に起こる反乱にあらかじめ備えて恒常的な結社（アソシエーション）さえ設立する。あちこちで勃発した闘争は暴動にまで至る。

時おり労働者は勝利を得るが、それは一時的なものでしかない。彼らの闘争の真の成果は、その直接の結果にあるのではなく、労働者の団結がますます広がっていくことにある。この団結は近代工業によってつくり出された運輸交通手段の改善によって促進される。それはさまざまな地方の労働者を相互に結びつける。だが、どこでも共通の性格を有している多くの地方的諸闘争を全国闘争に、一個の階級闘争に集中するのに必要なのは、まさにこの結合なのである。だが、あらゆる階級闘争は政治闘争である。そして、中世の市民がその貧弱な道路でもって数世紀を要した団結を、近代プロレタリアは鉄道を用いてわずか数年で達成する。

だが、このようにプロレタリアを階級に組織すること、したがってまた政党に組織することは、労働者同士の競争によって繰り返し打ち砕かれる。しかし、それは繰り返し、より力強く、より確固として、より強力なものとなって復活する。彼らは、ブルジョアジーの分裂［たとえば産業資本家と土地所有者との分裂］を利用することによって、法律の形で労働者の個々の利益を承認させる。こうしてイギリスでは一〇時間法が成立したのである。

総じて旧社会内部の種々の衝突は多くの点でプロレタリアートの発展を促す。ブルジョアジーは絶えまなく闘いの中に身を置いている。最初は貴族と闘い、後にブルジョアジー自身の一部――その利益が工業の発展と矛盾するようになった部分――と闘い、また常にすべての国外ブルジョアジーと闘っている。これらのあらゆる闘争においては、ブルジョアジーはプロレタリアートに訴えてその助けを求めることを余儀なくされ、こうしてプロレタリアートを政治運動に引き入れる。したがってブルジョアジー自ら、プロレタリアートの中に自分たち自身の教養の要素を、すなわちやがて自分自身に向けられる武器を持ち込む。

さらに、すでに見たように、工業の発展によって支配階級の構成部分の多くがプロレタリアートに突き落とされるか、あるいは少なくともその生活条件を脅かされる。こうして、この部分もプロレタリアートに教養の要素を大量に持ち込む。

最後に、階級闘争が決着へと近づく時期になると、支配階級の内部で、また全体としての旧社会全体の内部で解体過程が進行し、それがきわめて激烈であからさまな性格を帯びるので、支配階級それ自身の一小部分が支配階級から分離して、革命的階級に、すなわち未来をその手に握る階級に与するようになる。それゆえ、かつて貴族の一部がブルジョアジーの側に移行したように、今日、ブルジョアジーの一部がプロレタリアートの側に移行しつつある。とりわけ、ブルジョア・イデオローグの一部がそうであり、彼らは全体としての歴史的運動を理論的に理解するまでに至っている。

今日、ブルジョアジーに対立しているあらゆる階級の中で、プロレタリアートだけが真に革命的な階級である。残りの諸階級は大工業の発展とともに零落し没落するのに対し、プロレタリアートは大工業の固有の産物だからである。

中間層、すなわち小工業家、小商人、手工業者、農民はみな、中間層としての自分たちの存在を没落から守るためにブルジョアジーと闘う。彼らはしたがって革命的ではなく保守的である。それどころか反動的でさえある。彼らは歴史の歯車を逆に回そうとするからである。彼らが革命的になるのは、自分たちがプロレタリアートへと移行する時期が差し迫っているのを悟って、[10] 自分たちの現在の利益ではなく未来の利益を守ろうとする場合であり、自分たち固有の観点を捨てて、プロレタリアートの観点に立とうとする場合である。

ルンペン・プロレタリアート、旧社会の最底辺におけるこの受動的な腐敗部分は、そこかしこでプロレタリア革命によって運動に投げ込まれるが、その全体としての生活状況からして、むしろ喜んで反動的陰謀に買収されるだろう。

旧社会の生活諸条件はプロレタリアートの生活諸条件の中ではすでに破壊されている。プロレタリアは無所有である。妻や子どもに対する彼らの関係には、もはやブルジョア的家族関係と共通するものは何もない。近代的な産業労働、すなわち資本のもとへの近代的な隷属は、イギリスでもフランスでもアメリカでもドイツでも同一であり、そのあらゆる民族的性格を剝ぎとってしまっている。法律も、道徳も、宗教もプロレタリアにとっては、その背後にそれぞれ同じだけのブルジョア的利益を隠したブルジョア的偏見にすぎない。

支配の高みに上りつめたこれまでのすべての階級は、すでに獲得した自らの生活上の地位を確たるものにしようとして、社会全体を自分たちの取得条件に従属させた。だがプロレタリアは、自分自身のこれまでの取得様式を廃絶し、したがってこれまでのあらゆる取得様式を廃絶することによってのみ、社会的生産力をわがものとすることができる。プロレタリアは、確たるものにするべき自分独自のものを何ら有していない。彼らはこれまでのあらゆる私的な保障や私的な保護を破壊しなければならない。

これまでのあらゆる運動は少数者の運動、あるいは少数者のための運動であった。プロレタリアの運動は膨大な多数者による、膨大な多数者のための自主的運動である。現在の社会の最下層であるプロレタリアートは、公的社会を構成している階層的な上部構造の全体を吹き飛ばさないでは、立ち上がることも、まっすぐに立つこともできない。

ブルジョアジーに対するプロレタリアートの闘争は、内容的にではないが形式的にはさしあたり一国的である。各国のプロレタリアートはまずもって自国のブルジョアジーを片づけなければならない。

以上、われわれは、プロレタリアートの発展の最も一般的な諸段階を叙述し、現在の社会の内部で展開されている多かれ少なかれ隠された内乱の跡をたどり、ついにはそれが公然たる革命として爆発し、プロレタリアートがブルジョアジーを暴力的（ゲバルトザム）に打倒して自己の支配を打ち立てる地点にまで至った。

すでに見てきたように、これまでのすべての社会は抑圧階級と被抑圧階級との対立にもとづいていた。しかし、何らかの階級を抑圧することができるためには、少なくともその隷属的生存が継続できる程度には彼らの生活条件を保障しなければならない。農奴は、農奴制のもとで自治都市（コミューン）の一員に成り上がったし、小ブルジョアジーは封建的絶対主義のくびきのもとでブルジョアジーに成り上がった。それに対して近代労働者は、工業の進歩とともに向上するのではなく、自己自身の階級の生存条件以下へとますます深く落ち込んでいく。労働者は受給貧民になり、救貧状態は人口や富よりもはるかに急速に進展していく。ここではっきりと明らかになるのは、ブルジョアジーはもはや社会の支配階級にとどまることができないこと、自分たちの階級の生活条件を正常な法則として社会に押しつけることができないということである。彼らには支配する能力がないというのは、自らの奴隷たちにその奴隷制のもとでの生存を保障することさえできないからである。彼らが奴隷に養われるのではなく、彼らの方が奴隷を養わなければならない。そういう状態に奴隷が落ち込んでいくのをブルジョアジーにはどうすることもできない。社会はもはやブルジョアジーのもとでは生きていくことができない。すなわちブルジョアジーの生存はもはや社会とあいいれない。

ブルジョア階級が生存し支配するための本質的な条件は、〔11〕私人の手中に富が蓄積されることであり、資本が形成され増殖することである。資本の存在条件は賃労働であり、賃労働はもっぱら労働者同士の競争にもとづいている。だが、ブルジョアジーが意識することなく否応なしに推進している産業の進歩は、競争による労働者の孤立に代えて、種々の団体(アソシエーション)を通じた労働者の革命的団結を登場させる。したがって、大工業の発展とともに、ブルジョアジーが生産物を生産し取得するための基盤そのものがブルジョアジーの足元から取り除かれる。彼らは何よりも自分自身の墓掘り人を生産する。ブルジョアジーの没落とプロレタリアートの勝利はともに不可避である。

Ⅱ　プロレタリアと共産主義者

共産主義者はプロレタリア一般に対してどのような関係にあるのか？

共産主義者は他の労働者政党に対立する特殊な党ではない。

共産主義者はプロレタリア全体の利害から分離した利害を何ら有していない。

共産主義者はプロレタリア運動を型にはめるような特殊な原理を何ら持っていない。

共産主義者が他のプロレタリア政党から区別されるのはただ次の点においてだけである。一方では共産主義者は、各国におけるプロレタリアの諸闘争において、国や民族の違いから独立したプロレタリアート全体の共通の利益を強調し際立たせる。他方では、プロレタリアートとブルジョアジーとの闘争が経過するさまざまな発展段階において常に運動全体の利益を代表する。

したがって、共産主義者は実践的には、すべての国の労働者政党の中で最も断固として絶えず推進していく部分であり、理論的には、プロレタリア運動の諸条件、その道筋、その全般的諸結果を洞察している点で他のプロレタリア大衆に先んじている。

共産主義者の当面する目的は他のすべてのプロレタリア政党と同じである。プロレタリアートを階級へと形成すること、ブルジョアジーの支配を打倒すること、プロレタリアートによる政治権力を獲得することである。

共産主義者の理論的諸命題は、あれこれの世界改革論者たちが発見したり発明したりした理念や原理に何らもとづいていない。

それは、実際に存在する階級闘争の、われわれの眼前で進行している歴史的運動の、現実の諸関係を一般的に表現したものにすぎない。これまでの所有関係を廃絶することは共産主義にのみ特有の特徴ではない。

あらゆる所有関係は絶えまない歴史的交替、絶えまない歴史的変遷をこうむってきた。

たとえばフランス革命はブルジョア的所有のために封建的所有を廃絶した。

共産主義に特徴的なことは所有一般の廃絶ではなく、ブルジョア的所有を廃絶することである。

だが、近代のブルジョア的私的所有は、階級対立にもとづく、一部の人間による他の人間の搾取にもとづく、生産物の生産と取得の最終的で最も完成された表現である。

この意味で、共産主義者は自己の理論を、私的所有の廃棄という表現で総括することができる。

［12］人は次のように言ってわれわれ共産主義者を非難してきた。自分自身で獲得した、自己労働にもとづく所有を廃絶するつもりなのか？　個人のあらゆる人格的な自由と活動と自立性の基礎をなす所有を。

働いて得た、自ら獲得し、自ら稼いだ所有だと！　諸君はブルジョア的所有の以前に存在していた小ブルジョア的、小農民的所有のことを言っているのか？　だがそれならわれわれが廃絶するまでもない。工業の発展はそれを廃絶したし、日々廃絶している。

それとも諸君は近代のブルジョア的私的所有のことを言っているのか？

だが、賃労働、プロレタリアの労働は彼らに所有をつくり出したか？　いやけっして。それがつくり出すのは資本である。すなわち、賃労働を搾取する所有、新たに賃労働を生み出しそれを新たに搾取するという条件のもとでのみ増大しうる所有である。現在の形態における所有は、資本と賃労働との対立の中で運動している。この対立の両側を検討しよう。

資本家であるということは、単なる純粋に個人的な地位ではなく、生産においてある社会的地位を占めることを意味する。資本は社会的な産物であり、社会の多くの成員による共同の活動によってのみ、究極的には社会のすべての成員による共同の活動によってのみ動かすことができる。

資本はしたがって、けっして個人的な力ではなく社会的な力（マハト）である。

それゆえ資本が社会のすべての成員に属する共同の所有に転化するからといって、個人の（persönlich）所有が社会の所有に転化するわけではない。ただ所有の社会的性格が変わるだけである。所有はその階級的性格を失うのである。

次に賃労働に移ろう。

賃労働の平均価格は賃金の最低限である。すなわち、労働者を労働者として生かしておくのに必要な生活手段の総額である。それゆえ賃労働者がその活動によって取得するのは、その剝き出しの生を再生産するのにかろうじて足りるものでしかない。われわれは、直接的な生を再生産するための労働生産物のこの個人的な取得を廃絶するつもりはない。すなわち、他人の労働に対する権力（マハト）を与えることのできる純収益をいささかも残さないような取得を廃絶するつもりはまったくない。われわれはただ、この取得の悲惨な性格を廃絶したいだけである。すなわち、労働者がただ資本を増殖させるためにだけ生き、支配階級の利益が必要とするかぎりでだけ生きていけるという性格を。

ブルジョア社会では、生きた労働は蓄積された労働を増大させるための手段にすぎない。共産主義社会では蓄積された労働は労働者の生活過程を拡大し、豊かにし、増進させるための手段にすぎない。

したがってブルジョア社会では過去［蓄積された労働］が現在［生きた労働］を支配し、共産主義社会では現在が過去を支配する。ブルジョア社会では資本は自立的で人格的だが、活動する個人は非自立的で非人格的である。

そして、こうした状況を廃棄することを、ブルジョアジーは人格性と自由の廃棄だと言うのだ！　そしてそれも理由のないことではない。ここで問題になっているのはたしかに、ブルジョア的人格性、ブルジョア的な自立性と自由とを廃棄することだからだ。

現在のブルジョア的生産諸関係の内部における自由とは、自由な商業、自由な売買のことだ。

しかし営利商売が没落すれば、自由な営利商売も没落する。自由な営利商売に関する決まり文句は、自由に関するブルジョアジーの他のあらゆる大言壮語と同じく、そもそも中世期における制限された営利商売、隷属させられた市民に対してのみ一定の意味を持つのであって、［13］営利商売の共産主義的廃棄、ブルジョア的生産諸関係とブルジョアジーそのものの共産主義的廃棄に対してはそうではない。

われわれが私的所有を廃棄しようとしていると聞いて諸君は驚愕する。だが、諸君の現存社会において、私的所有は社会の成員の十分の九にとってはすでに廃棄されている。私的所有が存在しているのはまさに十分の九にとってそれが存在していないからである。したがって諸君は、社会の大多数の者の無所有を必要条件として前提している所有を廃棄しようとしていると言ってわれわれを非難しているわけである。要するに諸君は、われわれが諸君の所有を廃棄しようとしていると言ってわれわれを非難しているのである。いかにも、われわれはそれを望んでいる。

労働がもはや資本、貨幣、地代に、要するに独占可能な社会的権力に転化できなくなる瞬間から、すなわち、個人の所有がもはやブルジョア的所有に転化する（umschlagen）ことができなくなる瞬間から、諸君は個人が廃棄されると宣言するのである。

つまり諸君の言う個人がブルジョアに、ブルジョア的所有者に他ならないことを告白しているわけだ。そしていかにもそのような個人は廃棄されてしかるべきである。

共産主義は、社会的生産物を取得する力を誰からも奪うものではない。それはただ、この取得によって他人の労働を隷属させる力を奪うだけである。

私的所有を廃棄すればあらゆる活動が停止し、全般的な怠惰がはびこるだろうと反論する者もいる。

もしそうなら、ブルジョア社会はとっくに怠惰のせいで滅びてしまっているだろう。なぜなら、この社会の中で働く者は何も得ず、得る者は何ら働かないからである。このような異論は結局、資本が存在しなくなるやいなや、賃労働も存在しなくなるというトートロジーに行きつく。

物質的生産物の共産主義的な取得・生産様式に向けられたあらゆる非難は、精神的生産物の取得と生産にも拡大されている。ブルジョアにとって階級的所有の消滅が生産そのものの消滅であるように、階級的教養の消滅は彼らにとって教養一般の消滅なのである。

ブルジョアがその喪失を嘆いている教養とは、大多数の者にとっては機械になるための訓練である。

つまり諸君は自由、教養、法、等々に関する諸君のブルジョア的観念でもってブルジョア的所有の廃絶を判断しているのであり、そのような基準でもってわれわれに論争を仕かけるのはやめてもらいたい。諸君の観念そのものがブルジョア的生産・所有関係の産物であり、それと同じく、諸君の法は［具体的な］法律にまで高まった諸君の階級意志であり、諸君の意志の内容は諸君の階級の物質的生活諸条件のうちに与えられているのだ。

諸君は、生産の発展の中で過ぎ去っていく歴史的関係である自分たちの生産・所有関係を永遠の自然法則ないし理性の法則に仕立てあげようとするが、このような独善的な観念はこれまでの没落していったすべての支配階級と共通している。このことを諸君は古代の所有に関しては理解していたし、封建的所有に関しても理解していたのだが、ブルジョア的所有となるともはや理解することができないのである。

家族の廃止だって！　最も急進的な者たちでさえ、共産主義者のこの恥知らずな企図に憤慨する。

現在の家族、すなわちブルジョア的家族は何にもとづいているのか？　資本に、私的利得にである。それは完全に発展したものとしては、ブルジョアジーにとってしか存在しない。しかし、このブルジョア的家族は、プロレタリアの強制された無家族と公認の売買春によって補完されている。

［14］ブルジョア的家族は、これらの補完物が衰退していくにつれて自然に衰退していくだろうし、どちらも資本の消滅とともに消滅する。

諸君は、われわれが両親による子どもの搾取を廃絶しようとしているといって非難するのか？ われわれはこの罪を甘んじて引き受けよう。

しかし、と諸君は言うだろう。われわれが家庭教育を社会教育に置きかえるなら、最も親密な関係を破壊することになるだろうと。

だが諸君の教育も社会によって規定されているのではないのか？ 諸君の教育を取り巻く社会的諸関係によって、学校等々を通じた社会の直接的ないし間接的な介入によって、規定されているのではないのか？ 共産主義者は社会による教育への働きかけを発明したのではない。彼らはその性格を変えるだけである。共産主義者は教育から支配階級の影響を取り除くのである。

家族と教育に関する、また親子の親密な関係に関するブルジョア的な決まり文句は、大工業の結果としてプロレタリア家族のあらゆる絆がばらばらにされ、子どもが単なる商品や労働用具にされるにつれて、ますます嫌悪を催すものとなる。

しかし、君たち共産主義者は女性の共有制を導入しようとしている、と全ブルジョアジーがいっせいにわれわれに向かって叫びたてる。

ブルジョアは自分の妻を単なる生産用具とみなしている。それゆえ、生産用具が共同で利用されると聞いた彼らが、女性も共同利用の運命に陥るのだと思い込んだのも無理はない。

まさにここで問題になっているのが単なる生産用具としての女性の地位を廃止することだということに、彼らは思い及ばない。

それにしても、わがブルジョアが、共産主義者による公的な女性共有制なるものに高潔な道徳的憤慨を感じたということほど笑うべきものはない。何も共産主義者が女性の共有制を導入するまでもない。それはほとんどいつでも存在していた。

わがブルジョアは、公認の売買春をまったく別にしても、自分の雇っているプロレタリアの妻や娘たちを意のままにするだけでは満足せず、お互いの妻を誘惑しあうことに無上の喜びを見出している。

ブルジョア的結婚は実際には妻の共有制である。だから共産主義者を非難するとしてもせいぜい、偽善的な隠された女性共有制に代えて公然たる女性共有制を導入しようとしていると言うことができるだけである。いずれにせよ、現在の生産諸関係が廃棄されるとともに、この諸関係から生じる女性の共有制、すなわち公式および非公式の売買春も消滅することは、おのずと明らかである。

共産主義者はさらに、祖国や民族性を廃棄しようとしていると非難されている。

労働者は祖国を持っていない。持っていないものを取り上げることはできない。プロレタリアートはまずもって政治的支配を獲得し、国民的階級にまで高まり、自らを国民として構成しなければならない。そのかぎりでは、ブルジョアジーが言うのとはまったく別の意味でだが、それ自身やはり国民的である。

諸国民の民族的疎隔と対立は今日すでに、ブルジョアジーの発展とともに、そして商業の自由、世界市場、工業生産の画一性、そこから生じる生活諸関係の画一性とともに、ますます消え去りつつある。

プロレタリアートによる支配はなおいっそうそれを消滅させるだろう。少なくとも文明諸国による一致団結した行動は、プロレタリアートの解放の第一条件である。

一個人による他の個人に対する搾取が廃棄されるにつれて、一国民による他の国民に対する搾取も廃棄される。

［15］諸国民内部の階級対立がなくなるとともに、国民同士が相互に敵対しあう状態もなくなる。

共産主義に対して宗教的、哲学的、イデオロギー的な観点から向けられている非難については総じて、ここで詳しく論じる必要はない。

人々の生活諸関係、その社会的諸連関、その社会的な存在が変化するのにともなって、人々の観念、見解、概念も、要するに人々の意識も変化するということを理解するのに、それほど深い洞察が必要だろうか？

思想の歴史が示しているのは、物質的生産にともなって精神的生産も姿形を変えていくということ以外の何であろう？　ある時代の支配的思想は常に支配階級の思想でしかなかった。

社会全体に革命を引き起こすような思想について云々（うんぬん）されることがあるが、それは単に、旧社会の内部で新しい社会の諸要素がすでに形成されていて、古い生活諸関係の解体と軌を一にして古い諸思想の解体も進行しているという事実を物語るものでしかない。

古代世界が没落しつつあったとき、古代の諸宗教はキリスト教に征服された。一八世紀にキリスト教の諸理念が啓蒙思想に屈しつつあったとき、封建社会は当時は革命的であったブルジョアジーと最後の死闘を繰り広げていた。良心の自由や宗教の自由といった理念は、意識の領域における自由競争の支配を言いあらわしたものに他ならない。

「しかし」と言う者がいるだろう——「宗教的、道徳的、哲学的、政治的、法的諸思想等々はたしかに社会の発展過程でその姿を変えてきたが、宗教そのもの、道徳そのもの、哲学そのもの、政治そのもの、法そのものはこれらの変遷の中にあって常に維持されてきた。それに、自由や正義などのように、すべての社会状態に共通する永遠の真理というものが存在する。ところが共産主義はこれらの永遠の真理をも廃絶しようとする。宗教や道徳を新しくつくり変えるのではなく、それらを廃絶しようとする。したがって共産主義はこれまでのすべての歴史的発展に矛盾する」。

このような非難は結局どういうことに帰着するか？　これまでのすべての社会の歴史が階級対立の中で運動していたということである。この階級対立は異なった時代において異なった姿形を取っていた。

しかし、それがどのような形態を取るにせよ、社会の一部に対する他の一部による搾取はこれまでのあらゆる時代に共通した事実だった。したがって、あらゆる時代の社会意識が、あらゆる多様性と変化にもかかわらず、ある共通した形態を、共通した意識形態を取って運動していたということは何ら驚くべきことではない。したがって階級対立が完全に消滅するときに初めてそれも完全に解体するだろう。

共産主義革命は、これまで受け継がれてきた所有諸関係との最も根本的な断絶である。したがって、その発展過程の中でこれまで受け継がれてきた諸思想との最も根本的な断絶が生じるのも当然である。

だが、そろそろ共産主義に対するブルジョアジーの非難についてはこれぐらいにしておこう。

すでに見たように、労働者革命における最初の一歩はプロレタリアートを支配階級に高めること、民主主義を勝ち取ることである。

プロレタリアートは自らの政治的支配を利用して、ブルジョアジーからしだいにあらゆる資本を奪い取り、あらゆる生産用具を国家、すなわち支配階級として組織されたプロレタリアートの手に集中し、生産力の量をできるだけ急速に増大させるだろう。
［16］これはもちろん最初のうちは、所有権とブルジョア的生産諸関係を専制的に侵害することなしには起こりえない。したがって、経済的には不十分で持続不可能に見える諸方策にもとづくことなしには起こりえない。しかし、それらは運動が展開する中で自己自身を超えていくのであり、全生産様式を転覆する手段として不可避なものなのである。

こうした諸方策は当然ながら国が異なれば異なるだろう。

とはいえ、最も発達した諸国においては、以下に列挙する諸方策をおおむね共通して適用することができるだろう。

1、土地所有を収奪し、地代を国家の費用に充当すること。

2、高度の累進課税。

3、相続権の廃止。

4、［反革命派の］あらゆる亡命者と反逆者の財産の没収

5、国家資本と排他的な独占権を有した国営銀行を通じて国家の手に信用を集中すること。

6、運輸交通手段を国家の手に集中すること。

7、国営工場と生産用具を増大させ、共同の計画にもとづいて土地の開墾と改良を進めること。

8、万人に対する平等の労働義務。産業軍の設立。とりわけ農業のためのそれ。

9、農業経営と工業経営とを結合すること、都市と農村との差別を徐々に取り除くことに向けて努力すること。

10、すべての子どもに対する公的な無償教育。現在の形態での児童の工場労働を廃止すること。教育と物質的生産とを結合すること、等々。

事態の発展の中で階級差別がしだいに消滅し、協同（アソシエート）する諸個人の手にいっさいの生産が集中されるなら、公的権力は政治的性格を失うだろう。本来の意味での政治権力（ゲバルト）とは、他の階級を抑圧するための一階級の組織された強制力（ゲバルト）に他ならない。プロレタリアートは、ブルジョアジーに対する闘争の中で不可避的に階級へと団結し、革命を通じて自ら支配階級になり、支配階級として古い生産諸関係を力ずく（ゲバルトザム）で廃棄する。そして、この生産諸関係とともに階級対立の、階級一般の存在条件を廃棄し、それによって階級としての自己自身の支配をも廃棄する。

諸階級と階級対立をともなう古いブルジョア社会に代わって、各人の自由な発展が万人の自由な発展の一条件である協同社会（アソシエーション）が登場する。

Ⅲ　社会主義文献と共産主義文献

（1）反動的社会主義

a　封建的社会主義

フランスとイギリスの貴族たちは、その歴史的地位からして、近代ブルジョア社会に反対するパンフレットを書く使命を有していた。一八三〇年のフランス七月革命、イギリスの選挙法改正運動において、彼らはまたしても、この憎むべき成り上がり者たち［ブルジョアジー］に対して一敗地にまみれた。その後はもはや本格的な政治闘争は問題にならなくなった。［17］彼らに残されたのは文筆上の闘争だけだった。しかし、文献の領域においても、復古時代の古くさい決まり文句は不可能になっていた。［世間の］共感を得るために貴族たちは、自分たちの利益など眼中になく、ただ搾取されている労働者階級のためだという装いをこらして、ブルジョアジーに対する告発状を作成するほかなかった。こうして彼らは、新しい支配者を侮辱する歌を歌い、彼らの耳元で多少なりとも不吉な予言をささやくことでうっぷんを晴らそうとしたのである。

このようにして封建的社会主義が生まれた。半ば慨嘆で半ば風刺、半ば過去のこだまで半ば未来への恐れ。時には辛辣（しんらつ）で機知に富んだ鋭い批評でブルジョアジーの心情を傷つけることもあるが、近代社会の発展過程をまったく理解することができないために、常にどこか滑稽な印象を与える。

彼らは、民衆の支持を自己の背後に集めるために、プロレタリアへの施し袋を旗代わりに振り回した「つまり、貧しい労働者の救済を錦の御旗にした」。しかし、民衆が彼らに従うたびごとに、そのお尻に古い封建的紋章がくっついているのに気づいて、無作法な笑いを残して去ってしまうのだった。

フランスの正統王朝派の一部と青年イングランド派[4]がこのようなお芝居を演じてみせた。

封建主義者たちは、自分たちの搾取様式はブルジョア的搾取とはおよそ別物だったと証明したがるのだが、それは、彼らの搾取が単にまったく異なった、そして今では時代遅れとなった状況と条件のもとでなされていたことを忘れているだけのことである。彼らは、自分たちの支配のもとでは［悲惨な境遇の］近代プロレタリアートは存在していなかったと指摘するが、まさに近代ブルジョアジーが彼らの社会秩序の必然的な産物であることを忘れているだけのことである。

それにしても、彼らの批判の反動的性格はほとんど隠しようのないものであって、まさに彼らが主として批判の対象とするのは、ブルジョア体制のもとで古い社会秩序の全体を吹き飛ばすような一階級［プロレタリアート］が発展しているという事実なのである。

したがって彼らがブルジョアジーに向けている批判は、ブルジョアジーがプロレタリアート一般を生み出しているというよりも、革命的プロレタリアートを生み出しているということである。

それゆえ、政治的実践において彼らは労働者階級に対するあらゆる暴力的措置に加担している。そして日常生活においては、その仰々しい大言壮語にもかかわらず、黄金のリンゴをせっせと拾い集め、忠誠、愛、名誉を羊毛やテンサイやブランデーの商売に取り換えることもいとわない。

坊主が常に封建領主と手を携えていたように、坊主社会主義が封建的社会主義と手を携えている。

キリスト教的禁欲主義に社会主義的色づけをほどこすことほど簡単なことはない。キリスト教も私的所有や結婚や国家に熱心に反対したのではなかったか？ 私的所有の代わりに慈善と施し、結婚の代わりに独身生活と禁欲、国家の代わりに修道院暮しと教会を説いたのではなかったか？ 神聖社会主義[5]は、坊主が貴族の怒りを清めるための聖水にすぎない。

b 小ブルジョア社会主義

封建的貴族はブルジョアジーによって打倒された唯一の階級ではないし、その生活条件が近代ブルジョア社会の中で衰退し滅びていった唯一の階級でもない。中世の域外市民と小農層は近代ブルジョアジーの先駆者であった。工業と商業があまり発達していない国々では、これらの階級は新興ブルジョアジーと並んでなお生き永らえている。

［18］近代文明が発達を遂げた国々では、新しい小ブルジョア層が形成され、プロレタリアートとブルジョアジーのあいだを漂いながら、ブルジョア社会の補完部分として絶えず新たに形成されている。しかし、その個々の構成員は競争によって絶えまなくプロレタリアートに突き落とされており、大工業の発展とともに次のような時が迫りつつあることに気づいてさえいる。自分たちが、近代社会の独立した部分としては完全に消滅してしまい、商業でも工業でも農業でも、作業監督者や使用人に置きかえられる時が。

農民階級が人口の半数をはるかに超えるフランスのような国では、当然にも、ブルジョアジーに反対してプロレタリアートに与（くみ）した著述家たちは、小ブルジョア的・小農民的基準にもとづいてブルジョア体制を批判し、小ブルジョア層の観点から労働者の党に味方した。こうして小ブルジョア社会主義が形成された。シスモンディは、フランスにとってだけでなくイギリスにとっても、この種の文献の代表格である。

この社会主義は、近代の生産諸関係における諸矛盾をきわめて鋭く分析した。それは経済学者の偽善的な弁護論の正体を暴露した。機械と分業の破壊的作用、諸資本と土地所有の集中、過剰生産、恐慌、小ブルジョアと小農民の必然的没落、プロレタリアートの窮乏、生産の無政府性、富の分配の途方もない不均衡、各国間の産業的絶滅戦争、古い習慣・古い家族関係・古い諸民族の解体、こういったものを反駁の余地なく論証した。

しかし、その積極的内容の面から見ると、この社会主義は、古い生産・交換手段を復活させ、それとともに古い所有諸関係と古い社会を復活させるものであるか、あるいは、近代の生産・交換手段を、それによって粉砕されたし粉砕されざるをえなかった古い所有諸関係の枠内にもう一度無理やり押し込もうとするものであるかのいずれかである。どちらの場合も反動的であると同時にユートピア的である。

工業における同業組合と農村における家父長制的経営がその最後の言葉である。

その後の発展過程の中で、この潮流は二日酔いの意気消沈した気分を味わっている。

c ドイツ社会主義ないし「真正」社会主義

フランスの社会主義的・共産主義的文献は、支配的ブルジョアジーの抑圧のもとで生まれ、この支配に対する闘争の文献的表現であったが、それがドイツに輸入されたとき、ドイツのブルジョアジーは封建的絶対主義に対する闘争をまだ開始したばかりだった。

ドイツの哲学者、半哲学者、文士気取りはこれらの文献に飛びついたが、これらの文献がフランスからドイツに入ってくるのと同時にフランスの生活諸関係も入ってきたわけではないことを忘れていた。ドイツの状況に対してはフランスの文献はそのあらゆる直接的な実践的意義を失ってしまい、純粋に文献的な様相を呈した。それは真正な社会や人間的本質の実現といったものに関する無意味な思弁として現われざるをえなかった。一八世紀のドイツの哲学者にとってフランス第一革命の諸要求は［19］「実践理性」一般の諸要求としての意味しか持たなかったし、フランスの革命的ブルジョアジーによる意志の現われであったものは、彼らの目から見ると、純粋意志――あるべき意志、真に人間的な意志――の法則としての意味を持った。

ドイツの文筆家たちの仕事はもっぱら、フランスの新しい思想を自分たちの古い哲学的意識と調和させること、あるいはむしろ自分たちの哲学的観点からフランスの思想を摂取することだった。

この摂取は、一般に外国語を習得するのと同じやり方で、つまり翻訳によってなされた。

周知のように、修道士たちは、旧異教時代に古典的著述が書き記されていた写本に退屈なカトリック聖徒列伝を上書きした。ドイツの文筆家たちは世俗のフランス文献に対して逆のことをやった。彼らはフランス語の元の文章の裏側に哲学的たわごとを書き込んだのである。たとえば、貨幣関係に対するフランス人たちの批判の裏側に「人間的本質の外化」と書き込み、ブルジョア国家に対するフランス人の批判の裏側に「抽象的普遍による支配の止揚」などと書き込んだ。

フランス人による議論の下にこのような哲学的言い回しを書き込むやり方は、「行為の哲学」「真正社会主義」「社会主義のドイツ的学」「社会主義の哲学的基礎づけ」等々といった洗礼名を与えられた。

こうしてフランスの社会主義的・共産主義的文献はすっかり形骸化された。ところが、これらの文献がドイツ人の手中で、ある階級に対する他の階級の闘争を表現するものでなくなると、ドイツ人はフランス的一面性が乗り越えられたのだと思い込んだ。そして、自分たちが、現実の諸要求ではなく真理の諸要求を代表し、プロレタリアートの利益ではなく人間的本質の利益、人間一般の利益を代表していると思い込んだ。この人間一般なるものは、どの階級にも属さず、そもそもいかなる現実にも属さず、哲学的空想という、霞(かすみ)のかかった天空にのみ属しているのである。

このようなドイツ社会主義は、自らのぎこちない学校生徒風の習作を大真面目にもったいぶって取り上げ、大道商人よろしくそれを吹聴したのだが、その後しだいにその衒学(げんがく)的な無邪気さを失っていった。

封建制と絶対王政に対するドイツ・ブルジョアジーの、とりわけプロイセン・ブルジョアジーの闘争、すなわち自由主義的な運動がより本格的なものになったからである。

「真正」社会主義にとって、政治運動に社会主義的諸要求を対置する絶好の機会が訪れた。すなわち、自由主義に対して、議会制度に対して、ブルジョア的競争に対して、ブルジョア的出版の自由に対して、ブルジョア的法、ブルジョア的な自由と平等に対して、［フランス人から］受け継いだ破門宣告を投げつけ、あらかじめ人民大衆に対して、このブルジョア的運動からは何も得られないのであって、むしろすべてを失うことにしかならないと説教する絶好の機会が。だが、ドイツ社会主義が都合よく忘れているのは、自分たちが生気なく繰り返していたフランス人による批判が、近代ブルジョア社会およびそれに照応した物質的な生活諸条件とそれに適合した政治制度を前提していたことである。ところがドイツではまさにこの前提を闘い取ることがようやく問題になっていたのである。

ドイツの絶対主義的諸政府およびその従者たる坊主や田舎教師や田舎地主や官僚たちにとって、ドイツ社会主義は、急速に台頭しつつあるブルジョアジーに対抗するための好都合な案山子として役立った。

それは、この同じ諸政府がドイツの労働者蜂起⑦を弾圧するのに用いた苦い鞭打ちと銃弾に対する甘ったるい補完物でもあった。

[20]「真正」社会主義はこうしてドイツの諸政府がドイツ・ブルジョアジーに対抗するための掌中の武器となったのだが、それと同時に、直接に反動的利益をも代表していた。すなわちドイツの小市民層の利益である。ドイツでは、一六世紀から連綿と続いていて、それ以来さまざまな形態をとって繰り返し現われているこの小ブルジョア階層こそ、現在における状態の本来の社会的基盤をなしている。

この階層を保持することはドイツの現状を保持することである。彼らはブルジョアジーの産業的・政治的支配を恐れた。一方では資本の集中の結果として、他方では革命的プロレタリアートの台頭によって、自分たちが確実に没落すると思われたからである。「真正」社会主義は一石で二鳥を落とすように思われた。それは疫病のように広まった。

思弁のクモの糸で織られ、美文調の言葉の花々を縫いつけ、愛に満ちた情感の露に（つゆ）ひたした衣装――ドイツ社会主義者が骨と皮ばかりの二、三の貧弱な「永遠の真理」を包んだこの感情過多なレトリックの衣装は、この界隈ではかえって彼らの商品の売り上げを伸ばすことに寄与した。

ドイツ社会主義の側も、この小市民層の仰々しい代表者となることこそ自分たちの使命であるとますます自覚するようになった。

ドイツ社会主義はドイツ国民を標準的な国民だと宣言し、ドイツの俗物的小市民を標準的な人間だと宣言した。ドイツ社会主義は、この小市民たちの卑劣な振る舞いの一つ一つに、それとは正反対の意味を持った隠された高邁で社会主義的な意味があるのだとした。そしてついには、共産主義という「粗野で破壊的な」潮流にあからさまに反対し、あらゆる階級闘争から超越した不偏不党の高みに立つと公言するに至った。きわめてわずかな例外を除けば、ドイツで社会主義的・共産主義的だとして流布している著述物はすべて、この種の恥知らずで無気力な文献の範疇（はんちゅう）に入る。

（2） 保守的ないしブルジョア的社会主義

ブルジョアジーの一部は、ブルジョア社会の存続を確かなものにするために社会の種々の害悪を取り除くことを望んでいる。

このタイプに属しているのは、経済学者、博愛主義者、人道主義者、労働者階級の状態の改良家、慈善活動家、動物虐待反対運動家、禁酒会設立者、その他雑多な三文改良家たちである。しかもブルジョア社会主義は一個のまとまった体系にまで仕上げられている。

その一例がプルードンの『貧困の哲学』である。

社会主義的ブルジョアが欲しているのは、近代社会の生活諸条件、ただしそこから必然的に生じる諸闘争や危険性のないそれである。彼らが欲しているのは、革命的で解体的な諸要素を差し引いた現存社会である。彼らが欲しているのはプロレタリアートなきブルジョアジーである。ブルジョアジーは当然ながら自分の支配する世界が最良の世界であると考えている。ブルジョア社会主義はこうした心地のよい観念を一個の体系ないし半体系へとまとめ上げる。彼らはプロレタリアートに対してこの体系を実現して新エルサレム〔調和のとれた理想社会〕へと入るよう求めるが、実際に望んでいるのはただ、プロレタリアートが現在の社会の中にとどまり続けつつ、それでいてこの社会に関する不愉快な考えは捨て去ることなのである。

この種の社会主義の第二の形態、より非体系的だがより実践的な形態は、あれこれの政治的改革ではなく物質的な生活諸関係、経済的諸関係の改革だけが労働者にとって有益なものになりうるのだということを証明することによって、労働者階級にあらゆる革命運動を忌避させようとする。〔21〕この種の社会主義が考える物質的生活諸関係の改革というのは、革命的手段によってしか可能ではないブルジョア的生産諸関係の廃絶のことではまったくなくて、この生産諸関係の基礎上で行なわれる行政上の改良のことである。したがって、資本と賃労働との関係をいささかも変えることなく、せいぜいのところ、ブルジョアジーにとって支配の費用を軽減し、その国家財政を簡素化することだけなのだ。

ブルジョア社会主義をそれにふさわしい形で表現することができるのは、それを身も蓋もない修辞的文言で言いあらわす場合だけである。

自由貿易！　労働者階級のためだ。保護関税！　労働者階級のためだ。独房制度[8]！　労働者階級のためだ。以上が、ブルジョア社会主義の最後の、そして唯一まじめな言葉である。

この種の社会主義はまさに、ブルジョアがブルジョアであることが労働者階級のためだという主張に他ならない。

（3）批判的・ユートピア的な社会主義・共産主義

ここでは、あらゆる偉大な近代革命においてプロレタリアートの諸要求として出された文献については触れないでおく（バブーフの著作など）。

全般的な激動の時代、封建社会が転覆される時期に、プロレタリアートが直接にその固有の階級的利益を貫徹しようとした最初の試みは、プロレタリアート自身の未発達さゆえに、また、ブルジョア時代の中で初めて創出されるその解放の物質的諸条件の欠如ゆえに、必然的に失敗に終わった。プロレタリアートのこの最初の運動に付随していた革命的文献は、その内容の点では不可避的に反動的なものであった。それは全面的な禁欲主義と粗野な悪平等を説いた。

本来の社会主義的・共産主義的体系、すなわちサン・シモン、フーリエ、オーウェンらの体系は、プロレタリアートとブルジョアジーとのあいだの闘争の最初の未発達な時期に現われた。この時期についてはすでに叙述しておいた（「ブルジョアとプロレタリア」を見よ）。

これらの体系の創始者たちはたしかに階級対立についても、支配的な社会そのものの内部に存在する解体的諸要素の作用についても見ていた。しかし彼らは、プロレタリアートの側に何らの歴史的な自己活動も、プロレタリアート独自の政治運動も見出さなかった。

階級対立は産業の発展と歩調を合わせて発展する。それゆえ、彼らはプロレタリアートの解放のための物質的諸条件もやはり見出すことができず、この条件を生み出すような何らかの社会科学、社会的法則を探し求めた。

こうして、［プロレタリアート自身の］社会的活動は、［理想社会を］構想する彼らの個人的活動に置きかえられ、解放の歴史的運動は空想的な運動に置きかえられ、徐々に進行するプロレタリアートの階級への組織化は彼らによって独自に考案された社会組織に置きかえられた。来たるべき世界史は、彼らにとって、自分たちの社会計画を宣伝し実践的に導入することでしかなかった。

彼らはたしかに、その計画において主として、最も苦しんでいる階級である労働する階級の利益を代表しているつもりであった。彼らはプロレタリアートをもっぱらこの最も苦しんでいる階級という観点のもとでのみ理解した。

しかし、階級闘争がまだ未発達な水準にあったこと、そしてこの種の社会主義者自身の置かれていた［特権的な］生活環境からして、彼らは自分たちがあらゆる階級対立を超越しているものと信じ込んだ。そして、最も恵まれた者をも含むあらゆる社会構成員の生活状態を［22］改善しようとした。それゆえ彼らは一貫して誰かれなく社会全体に呼びかけ、それどころか主として支配階級に訴えた。自分たちの体系を理解しさえすれば、それがありうる最良の社会のありうる最良の計画として認められるだろうというわけだった。

それゆえ彼らは、あらゆる政治的行動を、とりわけあらゆる革命的行動を退ける。平和的方法で目的を達成することを望み、必然的に失敗を運命づけられている小規模な実験を通じて、実例の力を通じて、新しい社会的福音に向けた道を切り開こうとする。

だが、未来社会に関するこのような空想的な描写は、当時の、プロレタリアートがまだあまりにも未発達で、したがってプロレタリアート自身も自らの地位に関して空想的な見方をしていた時期における、社会の全般的な改造に向けたプロレタリアートの最初のおぼろげな願望に照応したものだった。

しかし、これらの社会主義的・共産主義的文献には批判的要素も含まれている。それらは現存社会のいっさいの基礎に攻撃を加えており、それゆえ労働者を啓蒙するためのきわめて貴重な材料を提供した。未来社会に関して彼らが提出している積極的諸命題、たとえば、都市と農村との対立の廃棄、家族の廃棄、私的利得や賃労働の廃棄、社会的調和の宣伝、国家を単なる生産管理機構に転化すること——これらすべての命題は階級対立の消滅を表現するものに他ならない。だが、階級対立はようやく発展し始めたばかりであり、彼らはその最初の無定形で曖昧な形態で知っていただけであった。こうした命題そのものはそれゆえ、当時にあっては純粋にユートピア的な意味を帯びることになった。

批判的だがユートピア的な社会主義と共産主義の意義は歴史の発展に反比例する。「プロレタリアートによる」階級闘争が発展しその輪郭がはっきりすればするほど、それと同じ割合で階級闘争のこのような空想的超越、このような空想的克服はあらゆる実践的価値、あらゆる理論的正当性を失っていく。それゆえ、これらの体系の創始者たちが多くの点で革命的であったのに対し、その弟子たちはいつでもどこでも反動的セクトをなしている。彼らは、プロレタリアートのますます進展する歴史的発展に抗して師の古い見解にしがみつく。こうして絶えず階級闘争を再び鈍らせようとし、階級対立を和解させようとする。今日に至るも彼らは、自分たちの社会的ユートピアを実験的に実現することを夢想している。ファランステールの設立、ホームコロニーの建設、小イカリア——新エルサレムの小型版——の創設がそれである(9)。これらすべての空中楼閣を実現するために、彼らはブルジョアジーの博愛精神と財布に訴えざるをえない。こうして彼らはしだいに、先に述べた反動的ないし保守的社会主義者の範疇に転落していく。違うのはただ、彼らがより体系的な衒学的教養を擁し、自分たちの社会科学の奇跡的作用を狂信的に信じ込んでいることだけである。

それゆえ彼らは、労働者のあらゆる政治運動に激しい怒りをもって反対する。というのも、このような行動は、彼らの新しい福音に対して蒙昧な不信感を抱いていることからしか生じえないからである。

こうしてイギリスのオーウェン主義者はチャーチスト運動に反対し、フランスのフーリエ主義者は「レフォルム」派[10]に反対している。

Ⅳ　さまざまな反政府党に対する共産主義者の立場

Ⅱで述べたことからして、すでに形成されている労働者党に対する共産主義者の態度、たとえばイギリスのチャーチストや北アメリカの農地改革派[11]に対する態度はおのずから明らかである。

［23］共産主義者は、労働者階級の当面する直接の諸目的と諸利益を実現するために闘うが、その現在の運動の中にあって同時に運動の未来を代表する。フランスでは共産主義者は、保守的・急進的ブルジョアジーに対抗して社会民主党［レフォルム派］と提携するが、その際、大革命期から受け継がれている空文句や幻想に対して批判的態度を取る権利を放棄することなしにそうする。

スイスでは急進党を支持するが、この党が相矛盾する諸要素から構成されていること、すなわちフランス的な意味での民主的社会主義者からなる部分と、急進的ブルジョアからなる部分とから構成されていることを見失わない。

ポーランド人の中では、共産主義者は、土地革命を民族解放の条件としている党派を、すなわち一八四六年のクラクフ蜂起を引き起こした党派[12]を支持する。

ドイツでは共産党は、ブルジョアジーが革命的に行動するかぎりで、ブルジョアジーと共同して絶対君主制、封建的土地所有、小ブルジョア層と闘う。

しかし共産党は、ブルジョアジーとプロレタリアートとのあいだの敵対的対立に関して、できるだけ明瞭な意識を労働者のあいだでつくり出すことを片時も怠らない。そうすることでドイツの労働者は、ブルジョアジーがその支配とともにもたらすに違いない社会的・政治的諸条件［出版・結社の自由など］をそのまま手中の武器としてただちにブルジョアジー自身に向け、ドイツで反動的諸階級が打倒されるやただちにブルジョアジー自身との闘いを開始することができるのである。

共産主義者はドイツに主な注意を向ける。なぜなら、ドイツはブルジョア革命の前夜にあり、しかもドイツが、この変革を一七世紀のイギリスや一八世紀のフランスと比べてヨーロッパ文明全体のより進んだ諸条件のもとで、そしてはるかに発達したプロレタリアートでもって遂行するので、ドイツのブルジョア革命はプロレタリア革命の直接の序曲となるほかないからである。

要するに、共産主義者はどこでも現在の社会的・政治的状態に反対するあらゆる革命的運動を支持する。

これらすべての運動において、共産主義者は所有問題を、それがどれだけ発達した形態を取っているかにかかわりなく、運動の根本問題として前景に押し出す。

最後に共産主義者は総じて、あらゆる国の民主主義的党派の結合と協力を実現するために活動する。

共産主義者は自らの見解と企図を隠すことを恥とする。共産主義者は、自己の目的があらゆる既存の社会秩序を暴力的に転覆することによってしか達成されないことを公然と表明する。支配階級をして共産主義革命の前に戦慄せしめよ。プロレタリアはこの革命において鉄鎖以外失うものは何もない。彼らが獲得するのは全世界である。

万国のプロレタリア、団結せよ!

Das Manifest der Kommunistischen Partei, Veröffentlicht im Februar 1848, London.

訳注

（1）ここでは、より反動的な存在とより自由主義的な存在が対照的に列挙されており、どちらも相手を「共産主義」だとののしっているとマルクスは述べている。当時のローマ教皇ピウス九世は「自由主義的」とみなされていて、当時のロシア皇帝（ツァーリ）であるニコライ一世はヨーロッパ反動の首領とみなされていた。当時のオーストリア宰相メッテルニヒは反動的なウィーン体制の政治的支柱であり、ギゾーはもともと自由主義的な歴史家で、王政復古期には階級闘争の観点からヨーロッパ近代史を考察した。一八三〇年の七月革命でフランス政府の内務大臣となり、『宣言』執筆当時はフランスの首相であった。メッテルニヒもギゾーも直後に起きた一八四八年革命で失脚している。「フランスの急進派」は当時の反政府的ブルジョア共和派である「ナシオナル」派のことで、一八四八年革命で権力の座に就いた。

（2）これらの各国語への翻訳は一八四七年一一～一二月における共産主義者同盟の第二回大会で決定されていたことだが、一八四八年当時はほとんど実現されなかった。英語訳は一八四八年四月ごろにエンゲルス自身によって着手されたが、最後までいかなかった。フランス語訳は六月蜂起直前に出されたと一八七二年ドイツ語版序文で言及されているが（本書、一二〇頁）、現物は確認されておらず、その可能性も低い。イタリア語版（とスペイン語版）については一八四八年に翻訳の努力がなされたようだが（本書、一六九頁）、出版は確認されていない。フラマン語はベルギー北部のフランドル地方の言語でオランダ語と共通した言語のことだが、この言語で出版された記録はない。デンマーク語版は一八四八年に出版されたとされているが（本書、一二一頁）、現物は確認されていない。これらとは別にスウェーデン語版が一八四八年末に『共産主義者の声』という表題で出版されたことが確認されている。

（3）城外市民……ヨーロッパ中世の主要都市はすべて城壁に囲まれており、特権階層は城壁内に住んでいたが、農奴の地位から離脱して手工業や商業を営むものが城壁の外部に住みつき、許可を得て「城外市民」として定着するようになり、この階層の中から最初のブルジョアジーが出現した。

（4）青年イングランド派……一八四〇年代に穀物法の廃止に反対してイギリスの保守政治家ディズレーリが中心となって議会内に結成した小会派。文筆家としてトマス・カーライルが代表的人物。エンゲルスは「ドイツの現状」という論文の中でこう述べている――「われわれがブルジョアジーに加える攻撃は、反動貴族、たとえばフランスの正統王朝派や青年イングランド派がやっているブルジョアジー攻撃とまったく違っているのと同じぐらい、真正社会主義者によるブルジョアジー攻撃とも違っている」（邦訳『マルクス・エンゲルス全集』第四巻、四〇頁）。

（5）神聖社会主義……マルクス生前の最後のドイツ語版である一八七二年版では「キリスト教社会主義」と修正されている。

（6）旧異教時代……キリスト教が支配する以前の古代ギリシャ・ローマ時代。

（7）ドイツの労働者蜂起……とくに有名なのが一八四四年のシュレージエン織工蜂起。一八四四年の六月四日から六日まで、工賃の引き下げなどをきっかけにしてシュレージエンの織布工三〇〇〇人が決起し、工場や問屋を破壊し、機械の打ちこわしなどを行なったが、軍隊によって鎮圧された。マルクスはこのドイツ最初の労働者蜂起についてこう述べている。シュレージエンの蜂起は「プロレタリアートの本質の自覚から始まっている。行動そのものがこのようなすぐれた性格を帯びている。労働者の競争者である機械が打ちこわされただけではなく、財産の要求権を示す会計帳簿までも破り捨てられた。またその他の運動がすべてはじめは目に見える敵である工場主だけに向けられていたのに、この運動は同時に目に見えない敵である銀行家にも向けられていた」(邦訳『マルクス・エンゲルス全集』第一巻、四四一頁)。

(8) 独房制度……マルクスが『聖家族』で取り上げたウジェーヌ・シューは、外界から囚人を完全に切り離す「独房制度」こそが社会問題を解決する重要な手段であると主張した(邦訳『マルクス・エンゲルス全集』第二巻、一九七〜一九八頁)。

(9) ファランステールとは、フランスの空想的社会主義者シャルル・フーリエが構想した共同体の中心となる共同邸宅の名前で、ホームコロニーはイギリスの空想的社会主義者ロバート・オーウェンがつけた共同体の名前。イカリアはフランスの空想的共産主義者エチエンヌ・カベーが自分の理想的共同体につけた名称。

(10) 「レフォルム」派……「ナシオナル」派よりも左で、社会主義的傾向を持ったフランスの急進主義的共和派で、ルドリュ＝ロランやルイ・ブランが代表的人物。『ラ・レフォルム(改革)』という日刊紙を出していた。

(11) 北アメリカの農地改革派……一八四五年に設立された「ナショナル・レフォーマー」ないし「青年アメリカ派」のこと。「共産主義の原理」の注4を参照。

(12) クラクフ蜂起を引き起こした党派……一八三二年に成立したポーランド民主主義

協会のこと。一八四六年二月にクラクフ共和国で民族蜂起を起こし、一時的に国民政府を樹立して、農民への無償土地分配をはじめとする一連の民主主義的改革を宣言したが、三月にはオーストリア軍によって鎮圧された。一八四六年一一月にクラクフはオーストリアに併合され、こうしてポーランドの民族独立は完全に否定された。マルクスはクラクフ蜂起二周年記念祭において次のように演説している――「クラクフの革命運動の先頭に立った人民は、民主主義的なポーランドだけが独立たりうるのであって、ポーランドの民主主義は封建的な諸法律の廃止なしには、隷農を自由で近代的な土地所有者に変えるような農民運動なしには不可能である、との固い確信を持っていた。……クラクフ革命は民族独立の大義を民主主義の大義および被抑圧階級の解放と一体化することによって、全ヨーロッパに一つの輝かしい模範を示した」（邦訳『マルクス・エンゲルス全集』第四巻、五三六～五三七頁）。

第II部　『共産党宣言』各版序文

1　一八七二年ドイツ語版序文

共産主義者同盟は国際的な労働者団体であり、当時の状況のもとではもちろん秘密の存在でしかありえなかった。同組織は、一八四七年一一月［から一二月初頭］にロンドンで開催された大会において、ここに署名した両名［マルクスとエンゲルス］に、公開を前提とした詳細な理論的・実践的な党綱領を作成することを委任した。こうしてでき上がったのが以下の『宣言』であり、その原稿が印刷のためにロンドンに送られたのは［フランス］二月革命のわずか数週間前のことだった。最初にドイツ語で出版され、[1] この言語ではそれ以来、ドイツ、イギリス、アメリカで少なくとも一二種類の異なった版が出された。[2] 英語版が最初に出されたのは一八五〇年にロンドンの『レッド・リパブリカン』においてであり、ヘレン・マクファーレン女史の翻訳によるものだった。[3] そして一八七一年にはアメリカで少なくとも三種類の版が出た。[4] フランス語では一八四八年の六月蜂起の直前にパリで出版されたのが最初で、最近ではニューヨークの『ル・ソシアリスト』に掲載された(5)。現在新しい翻訳が準備中である。ポーランド語版は最初のドイツ語版の出版直後にロンドンで出版された(6)。ロシア語版はジュネーブで一八六〇年代に出版された。デンマーク語版はドイツ語初版が出版された直後に翻訳された(7)。

この二五年間に状況が大きく変化したとはいえ、この『宣言』で展開された一般的な諸原理は今日でもだいたいにおいてその妥当性を完全に保持している。個々の点に関してはいろいろと改善の余地がある。これらの諸原理を実地に適用することに関しては、『宣言』自身が説明しているように、いつでもどこでも、歴史的に当面する諸事情に左右されるだろうし、それゆえ、第Ⅱ章の末尾で提案されている革命的諸方策にはとくに重きを置いてはいない。この箇所を今日書くとすれば、多くの点で異なったものになるだろう。この二五年間における大工業の巨大な発展とそれに伴う労働者階級の党組織の長足の進歩に照らしてみるなら、さらに、この間の実地の諸経験、最初は二月革命の経験、そしてこちらの方がはるかに重要だが、プロレタリアートが二ヵ月だけとはいえ初めて政治権力を握ったパリ・コミューンの経験に照らしてみるなら、今日、この綱領はあちこちで時代遅れになっている。とりわけパリ・コミューンは以下のことを示した。「労働者階級は出来合いの国家機構をそのまま掌握して自分自身の目的に用いることはできない」[8]（「フランスにおける内乱――国際労働者協会総評議会の呼びかけ」ドイツ語版、一九頁。そこではこの点がより詳しく展開されている）。さらに、社会主義文献に対する批判は一八四七年までのものしか扱っていないのだから、今日では不十分であるのはおのずと明らかである。同じく、さまざまな反政府党に対する共産主義者の立場について述べた部分（第Ⅳ章）も、原則的な点では今日でも正しいが、政治情勢が根本的に変わってしまい、歴史の発展がそこで言及されていた諸党派の大部分を地上から一掃してしまったという理由だけからしても、実際的な面では今日すでに時代遅れになっている。

とはいえ、『宣言』は歴史的文書であって、われわれにはもはやそれを変更する権利はない。将来、新たな版が出版される際にはおそらく、一八四七年から現在までの空白を埋めるような序論が付されることだろう。今回の再版はあまりに急なことだったのでそうするための時間がなかったのである。

ロンドン、一八七二年六月二四日

カール・マルクス、フリードリヒ・エンゲルス

訳注

（1）最初に一八四八年二月末に出版された初版のいわゆる「二三ページ版」の他に、その直後から『ドイツ語ロンドン新聞』に同年の三月から七月にかけて一三回にわたって連載された。

（2）二一種類の異なった版……英語版全集（第二七巻）の注によると、注（1）の文献以外に、一八四八年から一八七二年のあいだに、以下の定期刊行物に部分的に掲載された。*Die Hornisse, Neue Rheinische Zeitung: Politisch-ökonomische Revue*（一八五〇年の五・六号にマルクスとエンゲルス自身が『宣言』の第Ⅲ章を収録）, *Republik der Arbeiter*（ニューヨークの新聞でヴァイトリングが発行。その一八五一年の号に掲載）, *Die Revolution*（ニューヨークの新聞でヴァイデマイアーが発行。その一八五二年の号に掲載）, *Arbeit-Blatt.* パンフレットとしては、一八五〇年末から一八五一年初頭にかけての時期に「二三ページ版」のミスプリを修正したいわゆる「三〇ページ版」がケルンで出版されたと推定されており、また一八六一年ごろにロンドンでいわゆるヒルシュフェルト版が出されたと推定されている。さらに一八六六年ごろにマイアーが復刻版を出したことが手紙などから推測される。

（3）やや不完全な翻訳として以下に連載。"Manifesto of the German Communist Party", *The Red Republican*, No. 21-24, November 9, 16, 23, 30, 1850, London. 最初の号にジョージ・ジュリアン・ハーニーの「まえがき」が付され、この文書の著者がマルクスとエンゲルスであることが公表された。『レッド・リパブリカン』はチャーチストの週刊誌で、一八五〇年六月から一一月までロンドンで発行。訳者のヘレン・マクファーレンは、マルクスやエンゲルスとも親交のあったキリスト教社会主義者でフェミニスト。なお、この最初の英訳は、新メガの第I部第一〇巻の付録として以外に、以下の諸文献に再録されている。Hal Draper, *The Adventures of the Communist Manifesto*, Center for Socialist History, 1994; Terrell Carver & James Farr eds., *The Cambridge Companion to The Communist Manifesto*, Cambridge University Press, 2015. この二つの英語文献はそれぞれ『共産党宣言』の独自の英語新訳（エンゲルス校訂版とは違うもの）も収録している。

（4）三種類の版……英語版全集の注は以下の二つを挙げている。"Manifesto of the German Communist Party", *The World*, November 21, 1871, New York（抄録）; "Manifesto of the German Communist Party", *Woodhull & Claflin's Weekly*, No. 7, December 30, 1871.

『ウッドハル&クラフリンズ・ウィークリー』は一八七〇年から七六年までニューヨークで出されていた週刊誌。誌名になっているウッドハルとクラフリンズはアメリカの女性実業家の姉妹。

（5）ここで言及されている「一八四八年の六月蜂起の直前にパリで出版された」ものは発見されていない。「ニューヨークの『ル・ソシアリスト』に掲載された」フランス語訳は、『宣言』の「I」と「II」だけが「カール・マルクスの宣言」という表題で一八七二年一〜三月の各号に分割掲載された。『ル・ソシアリスト』は第一インターナショナルの在アメリカ・フランス人支部の機関紙。

（6）この最初のポーランド語版は見つかっていない。

（7）このデンマーク語版は見つかっていないが、一八四八年一二月末に出されたスウェーデン語版と混同されているのかもしれない。

（8）邦訳『マルクス・エンゲルス全集』第一七巻、三一二頁。

2　一八八二年ロシア語版序文

『共産党宣言』の最初のロシア語版はバクーニンによって翻訳されて、一八六〇年代初頭に「コロコル（鐘）」印刷所から出版された。[1] 西欧では当時、それ（『宣言』のロシア語版）は文献上の珍事としかみなしえなかっただろう。このような見方は今日ではまったく不可能になっている。

当時（一八四七年一二月）、プロレタリア運動がどれほど限られた範囲にしか及んでいなかったかは、『宣言』の最終章「さまざまな反政府党に対する共産主義者の立場」がこの上なくはっきりと示している。そこでは他ならぬロシアとアメリカ合衆国が抜け落ちている。当時、ロシアはヨーロッパ反動全体の最後の大予備軍であり、アメリカはヨーロッパにおけるプロレタリアートの過剰労働力を移民を通じて吸収していた。両国とも、ヨーロッパに原材料を供給すると同時に、ヨーロッパの工業製品の販路市場にもなっていた。したがって両国とも当時、何らかの形でヨーロッパの現存秩序を支える支柱であった。

今ではすっかり様変わりしている！　まさにこのヨーロッパ移民のおかげで北アメリカは農業生産を途方もなく発展させることができ、それによる競争力がヨーロッパの土地所有者たちを——小所有者のみならず大所有者をも——根底から揺さぶっている。さらにこの移民はアメリカがその未曽有の工業資源を精力的かつ大規模に利用することを可能にしており、西ヨーロッパ、とりわけイギリスのこれまでの工業独占を近いうちに打ち破るに違いない。この二つの事情はアメリカ自身にも革命的な反作用を与えている。アメリカの全政治体制の土台である自営農たちの中小の土地所有は巨大農場との競争にしだいに敗れつつある。同時に工業地帯では膨大な数のプロレタリアートと資本の途方もない集積とが初めて発展しつつある。

次にロシアを見てみよう！　一八四八～四九年の革命において、ヨーロッパの君主たちだけでなくヨーロッパのブルジョアジーも、ロシアによる干渉を、目覚めはじめたばかりのプロレタリアートから自分たちを救ってくれる唯一の頼みの綱だとみなした。ロシアのツァーリ［ニコライ一世］はヨーロッパ反動の領袖であると公言されていた。だが今日では、ツァーリ［アレクサンドル三世］はガッチナにおいて革命の虜囚となっており[2]、ロシアはヨーロッパにおける革命的行動の前衛となっている。

『共産党宣言』は、近代のブルジョア的所有の不可避的な解体が目前に迫っていると宣言することを課題としていた。ところがロシアで見出されるのは、資本主義的思惑商売が急速に開花しつつあり、ブルジョア的土地所有がようやく発展しつつある一方で、土地の大半が農民の共同所有（Gemeinbesitz）になっていることである。そこで問題はこうだ。相当に崩れてきているとはいえ土地の原始的な共同所有の一形態であるロシアのオプシチナ（農村共同体）は、共産主義的な共同所有というより高度な形態に直接移行することができるのか？　それとも反対に、前もって、西欧の歴史的発展の特徴をなすあの同じ解体過程を経なければならないのか？

この問いに対して現時点で与えることのできる唯一の答えはこうだ。ロシア革命が西欧におけるプロレタリア革命の合図となり、こうして両者が互いに補いあうなら、現在におけるロシアの土地の共同所有（Gemeineigentum）は共産主義的発展の出発点になりうるだろう。

ロンドン、一八八二年一月二一日

カール・マルクス、F・エンゲルス

訳注

（1）『宣言』の最初のロシア語訳が出されたのは「一八六〇年代初頭」ではなく、一八六九年。

（2）一八八一年三月、革命的ナロードニキの「人民の意志派」によってロシアのツァーリ、アレクサンドル二世が暗殺された。それを受けて即位したアレクサンドル三世はテロを恐れて、ペテルブルクの郊外ガッチナにある城に、厳重な警備に守られながら隠れ住むことになった。

付録1
プレハーノフ「一八八二年ロシア語版まえがき」

カール・マルクスとフリードリヒ・エンゲルスの名前は、わが国では実に高名で名誉あるものとして受け取られているので、『共産党宣言』という科学的成果について語ることはよく知られた真理を繰り返すことを意味するだろう。この著者たちのその他の諸著作と並んで、『宣言』は、社会主義的・経済的文献の歴史における新しい時代を開始するものであった。現代における資本・労働関係に対する容赦のない批判の時代、そしてあらゆるユートピアと違って、社会主義の科学的基礎づけの時代である。それゆえ、「ロシア社会革命叢書」の一環として『宣言』をロシア語で出版する理由について縷々説明する必要はないだろう。一八六〇年代に同書のロシア語訳が出版されているが、それは現在では言葉の完全な意味で稀覯本になっていると言っておけば十分である。しかも、この翻訳はわれわれの見るところいくつか不正確な点があり、著者たちの思想を正しく理解するのを妨げるものであった。そこでわれわれはこの偉大な――それほど大部ではないとはいえ――著作の新訳を出すことにした。同書はあらゆる文明諸国で膨大な部数が出回っており、疑いもなく、支配階級の教養ある代表者たちが科学――たとえその結論が彼ら自身の利害と偏見とに反していたとしても――に関心を持ちつづけていたならば、もっと広く普及していただろう。

ロシア語版『共産党宣言』の出版は有益であるだけでなく、今や必要不可欠なものである。なぜなら今日、ロシアの社会主義運動がすでに絶対主義との公然たる闘争の道へと完全に突入し、わが党の政治活動の意義と課題が喫緊の実践的問題となっているからである。勤労者の政治的利益と経済的利益とのあいだに相互依存と相互関係が存在することは、『宣言』の中できわめて明確に指摘されている。著者たちは「現存する社会的・政治的諸関係に反対するあらゆる革命運動」[1]に共感を向けている。しかし、あらゆる革命運動の当面する直接的な目的を擁護しつつも、著者たちは同時にその「未来」を見失わない。したがって、『宣言』は、ロシアの社会主義者に対して二つの――ともに惨めな――極端に陥らないよう警告するものである。一方では［現在の］政治活動に否定的な態度を取ることであり、他方では党の未来の利益を忘れることである。この両極端の前者に陥りがちな人々は、「あらゆる階級闘争は政治闘争である」[2]こと、現在のロシア絶対主義に対する積極的な闘争を拒否することは間接的にそれを支持することになることを理解しなければならない。他方で、『宣言』は、一般的には諸階級の、特殊には労働者の闘争の成否が、この階級の団結と自己の経済的利益の明確な自覚にかかっていることを指摘している。労働者階級を組織すること、そして、彼らの利益が支配階級の利益と敵対的に矛盾していることを倦まずたゆまず彼らに説明すること、このことにわれわれの運動の未来はかかっている。そしてそれは疑いもなく、当面する利益の犠牲にしうるものではないのである。

この労働者階級の組織化については現時点ですでにその基礎を据えることができる。

ロシアの社会主義運動はすでに、学徒、思考するプロレタリアート等々と呼ばれてきた層の枠内に限定されていない。わが国の工業中心地における労働者は自ら、「思考し自己の解放に向けて努力し」はじめている。政府によるあらゆる迫害にもかかわらず、労働者の社会主義秘密組織は破壊されていないだけでなく、ますます大規模なものになっている。それとともに社会主義プロパガンダは広がり、社会主義の基本的立場を明らかにした一般向けの小冊子への需要は増大しつつある。生まれつつあるロシア労働者文献にとって、マルクスとエンゲルスの教えを大衆化する課題を、多少なりとも歪んだプルードン主義という回り道を通じて遂行するとすれば、それは実に馬鹿げたことであろう。

たしかに、わが国には、ロシアの社会主義者の任務は西ヨーロッパの同志たちの課題とは本質的に異なっているという確信がいまだかなり強固に流布している。しかしながら、最終目標が万国の社会主義者にとって同一であるということは、もはや言うまでもない。ロシアの経済体制の特殊性に対してわが国の社会主義者たちが合理的な態度を取りうるのは、西ヨーロッパの社会発展を正しく理解する場合のみである。マルクスとエンゲルスのこの著作は、西欧の社会関係を研究するうえで、何ものにも代えがたい源泉である。

ここで、本書の最後に収録した「付録」について一言述べておこう。一八七二年ドイツ語版序文の中で、『宣言』の著者たちはパリ・コミューンの経験について触れつつ、それが「労働者階級は出来合いの国家機構をそのまま掌握して自分自身の目的に用いることはできないことを示した」と述べている[3]。そのさい彼らは、『フランスにおける内乱』という小冊子を指示しており、その中では現代の国家権力の発展とその意義という問題がより詳しく説明されている。この小冊子のロシア語版が現在すでに完全に絶版になっていることをかんがみて、『フランスにおける内乱』から、著者によって指摘された部分を翻訳し、『宣言』の付録に入れることにした。国際労働者協会の規約に関して言うと、それを『宣言』の付録に入れることにしたのは、この有名な協会が、最初に『共産党宣言』の中で展開された原理にもとづいて労働者階級の国際組織の実り豊かな経験を最もよく代表しているからである。国際労働者協会はその存在を継続させることができなかったとはいえ、全世界の社会主義政党の「兄弟的な絆による団結」を強化するという自己の事業を見事に遂行したのである。

訳注

（1）本書、一一二頁。
（2）同前、七〇頁。
（3）同前、一二二頁。

3　一八八三年ドイツ語版序文

この版の序文には残念ながら私一人で署名しなければならない。ヨーロッパとアメリカの労働者階級全体が他の誰よりも恩恵を受けている人物であるマルクスは、現在ハイゲート墓地で眠っており、その墓の周りにはすでに最初の草が伸びている。マルクスが死んでからは『宣言』を改訂したり加筆したりすることはなおさら問題になりえない。それだけにいっそう、次のことをここで改めてはっきりと述べておくことが必要であると私は考える。

『共産党宣言』を貫く根本思想はこうだ。どの歴史時代にあっても経済的生産とそこから必然的に生じる社会構造とが、その時代の政治的・知的歴史にとっての土台をなすこと。それゆえ、全歴史（土地の原始的な共同所有が解体されて以降）は階級闘争の歴史であり、社会の発展のさまざまな段階における搾取する階級と搾取される階級との、支配する階級と支配される階級との闘争の歴史であったこと。この闘争はしかしながら今や、搾取され抑圧されている一階級（プロレタリアート）が搾取し抑圧する一階級（ブルジョアジー）から自己を解放するには、同時に社会全体を永遠に搾取、抑圧、階級闘争から解放することなしにはもはや不可能であるという段階にまで至ったこと――これらの根本思想はもっぱらマルクス一人によるものである。*

＊一八九〇年ドイツ語版で再録された際の追加注

英語版［一八八八年版］の序文で私は次のように書いた。「この命題は、私の意見では、ダーウィンの学説が生物学に対してなしたのと同じ貢献を歴史に対してなすものである。われわれはどちらも、一八四五年以前の数年間に徐々にこの考えに接近していった。私がそこに向かって自力でどこまで前進していたかは、私の『イギリスにおける労働者階級の状態』に最もよく示されている。しかし、私が一八四五年春にブリュッセルでマルクスと再会したとき、彼はすでにこの根本命題を完全に仕上げていて、私がここで提示したのとほとんど同じ明確さでそれを私に披瀝したのである。」

私はすでに何度かこのことを表明してきたが、［マルクスが亡くなった］今日、このことを『宣言』そのものに先立って記しておく必要があるだろう。

ロンドン、一八八三年六月二八日

F・エンゲルス

4　一八八八年英語版序文

『共産党宣言』は共産主義者同盟の政綱として出版された。この労働者団体は最初はもっぱらドイツ人からなり、後に国際的なものになったが、一八四八年以前のヨーロッパ大陸の政治的状況のもとでは必然的に秘密結社たらざるをえなかった。一八四七年一一月に開催された同盟の大会において、マルクスとエンゲルスは出版を目的として一個の完結した理論的・実践的な党綱領を作成するよう委託された。一八四八年一月にドイツ語で書かれた原稿は、二月二四日のフランス二月革命のわずか数週間前にロンドンの印刷所に送られた。フランス語訳は一八四八年の六月蜂起の直前にパリで出版された。最初の英訳はヘレン・マクファーレンによるもので、一八五〇年にロンドンでジョージ・ジュリアン・ハーニーの『レッド・リパブリカン』に発表された。デンマーク語版とポーランド語版も出版された。

一八四八年六月のパリ蜂起――プロレタリアートとブルジョアジーの最初の大闘争――が敗北したことは、しばらくのあいだヨーロッパ労働者階級の社会的・政治的野心を再び後景に退けた。それ以降、支配権をめぐる闘争は再び、二月革命以前と同様、もっぱら有産階級のさまざまなグループ間で行なわれることになった。労働者階級は政治活動の自由のための闘争に切り縮められ、中産階級の急進派の最左翼という地位に追いやられた。プロレタリアートの自立した運動がまだ命脈を保っていたところではどこでも容赦なく弾圧された。たとえばプロイセンの警察は、当時ケルンにあった共産主義者同盟の中央委員会を狩り立てた。メンバーは逮捕され、一八ヵ月間もの投獄の後、一八五二年一〇月に裁判にかけられた。この有名な「ケルン共産党裁判」は一〇月四日から一一月一二日まで続いた。被告のうち七名は、三年から六年までの要塞監獄への禁固刑を言い渡された。判決の直後、共産主義者同盟は残ったメンバーたちの決定によって公式に解散した。『宣言』に関して言うと、その後すっかり忘れ去られる運命にあるように思われた。

ヨーロッパの労働者階級が再び支配階級に対する新たな攻撃を加えるほどに十分復活したころ、［一八六四年に］国際労働者協会が生まれた。この団体は、ヨーロッパとアメリカの戦闘的プロレタリアートの全体を一大勢力に結集させるという明確な目的をもって結成されたものであり、それゆえ『宣言』で述べられている［共産主義的な］諸原理をただちに表明することはできなかった。インターナショナルの綱領は、イギリスの労働組合や、フランス、ベルギー、イタリア、スペインにおけるプルードンの追随者たち、ドイツのラサール派*にも受け入れられるような広範なものでなければならなかった。マルクスはすべての党派が満足するような綱領を起草したのだが、労働者階級がその共同行動と相互討論を通じて必ずや知的発展を遂げるだろうということに全幅の信頼を置いてのことだった。資本に対する闘争の諸事件やさまざまな紆余曲折は――勝利よりもむしろ敗北の方がなおのこと――、人々に彼らのお気に入りのインチキ処方箋が不十分であることを深く納得させ、労働者階級の解放の真の諸条件に対するより十全たる洞察への道を切り開くことになるだろう、と。そしてマルクスは正しかった。インターナショナルは一八七四年に解体したのだが、その時の労働者は、インターナショナルが創設された一八六四年の時の労働者とはまったく異なっていた。フランスにおけるプルードン主義とドイツにおけるラサール主義は死に絶えつつあったし、イギリスの保守的な労働組合でさえ、その大部分はとっくにインターナショナルとの結びつきを断っていたにもかかわらず、徐々に進歩を遂げ、ついに、昨年のスウォンジ大会では議長［W・ビーヴァン］が正式に「大陸の社会主義は［……］われわれにとって恐るべきものではなくなった」と発言するまでになった(1)。実際、『宣言』の諸原理はあらゆる国の労働者階級のあいだでかなり浸透するにいたったのである。

＊原注　ラサールは個人的にわれわれに対しては常にマルクスの弟子であることを自認していたし、そのかぎりで『宣言』の基盤に立っていた。しかし、一八六二〜六四年における彼の公的なアジテーションにおいては、国家信用によって支えられた協同組

合工場という要求以上には出なかった。

『共産党宣言』自身はこうして再び表舞台に戻ってきた。ドイツ語のテキストは一八五〇年以来、スイス、イギリス、アメリカで何度も再版された。一八七二年［一八七一年一二月］、英語に訳されて、ニューヨークの『ウッドハル&クラフリンズ・ウィークリー』に発表された。この英語版からフランス語訳が作成されて、ニューヨークの『ル・ソシアリスト』に掲載された。それ以降、多少なりとも要約されていたとはいえ、さらに少なくとも二種類以上の英訳がアメリカで出版された。その一つはイギリスで再版された。バクーニンによる最初のロシア語訳はジュネーブにあるゲルツェンの「コロコル」社から一八六三年ごろ［正しくは一八六九年］に出版された。第二のロシア語訳は、あの英雄的なヴェーラ・ザスーリチ［正しくはプレハーノフ］によるもので、[2]一八八二年に同じくジュネーブで出版された。新しいデンマーク語版が「社会民主主義文庫」として一八八五年にコペンハーゲンで出版された。新しいフランス語訳は一八八六年［一八八五年］にパリの『ル・ソシアリスト』に掲載された。[3]このフランス語版からスペイン語版が作成され、一八八六年にマドリードで出版された。ドイツ語版は数えきれないほど重版されており、[各国で]少なくとも全部で一二種類出た。アルメニア語訳は数ヵ月前にコンスタンチノープルで出ることになっていたが、日の目を見なかった。聞くところでは、出版社の側がマルクスの名前の付いた著作を出版するのを恐れ、他方で翻訳者の方もそれを自分の作品と称するのを断ったからだとのことである。さらに他のいくつかの言語に翻訳されたとのことだが、私は目にしていない。こうして、『宣言』の歴史は、かなりの程度、近代労働者運動の歴史を反映している。現時点でそれはあらゆる社会主義文献の中で疑いもなく最も普及し、最も国際的なものになった作品であり、シベリアからカリフォルニアまで幾百万の労働者階級によって共通の政綱と認められている。

とはいえ、これが書かれたとき、われわれはそれを『社会主義者宣言』と名づけることはできなかった。一八四七年当時において社会主義者と言えば、一方では、さまざまなユートピア的体系の支持者たち、イギリスのオーウェン主義者やフランスのフーリエ主義者のことであり、どちらもすでに単なるセクトの地位に落ちぶれ、しだいに死に絶えつつあった。他方では、あらゆる種類の社会的山師のことであって、資本や利潤に何らの打撃も与えることなく、さまざまな継ぎはぎ細工でもってあらゆる種類の社会悪を正すと吹聴していた。どちらの場合も、彼らは労働者運動の外部におり、むしろ「教養ある」階級に支援を求めた。それに対して、労働者階級の一部、すなわち単なる政治的変革では不十分なことを確信していて、社会の全面的変革の必然性を公言していた部分は当時、共産主義者を名乗っていた。それはまだ粗野で、粗削りで、純粋に直観的なタイプの共産主義者であった。それでも彼らは事柄の核心に触れていたし、労働者階級のあいだでかなり有力で、フランスではカベーの、ドイツではヴァイトリングのユートピア共産主義を生み出していた。したがって、社会主義というのは一八四七年には中間階級の運動であり、共産主義というのは労働者階級の運動であったのだ。社会主義は少なくとも大陸では「サロン的」だった。共産主義はその正反対物だった。そして、われわれは最初から「労働者階級の解放は労働者階級自身の事業でなければならない」という意見だったので、どちらの名前を採用するべきかにいかなる疑問の余地もなかった。さらに言っておくと、それ以降も一度としてその名前を拒否しようと思ったことはない。

『宣言』はわれわれ二人の合作であるとはいえ、その核心をなす根本命題がマルクスのものであることはここで言っておく必要があるだろう。その命題とはこうだ。どの歴史時代にあっても経済的生産と交換の支配的様式、およびそこから必然的に生じる社会組織は、その上にこの時代の政治的・精神的歴史がそびえたつ土台をなし、またこれらの歴史はこの土台からしか説明できないこと。したがって、人類の全歴史（土地の共同所有をともなった原始的な部族社会が解体されて以降）は階級闘争の歴史であり、搾取する者と搾取される者、支配階級と被抑圧階級との抗争の歴史であること。この階級闘争の歴史は発展の一系列をなしており、現在では、搾取され抑圧されている一階級――プロレタリアート――が、搾取し支配している一階級――ブルジョアジー――のくびきから自己を解放するには、同時に、社会全体を永遠に搾取と抑圧から、階級差別と階級闘争から解放することなしにはもはや不可能である段階にまで至ったということ、である。

この命題は、私の意見では、ダーウィンの学説が生物学に対してなしたのと同じ貢献を歴史学に対してなすものである。われわれはどちらも、すでに一八四五年以前の数年間に徐々にこの考えに接近していった。私がそこに向かって自力でどこまで前進していたかは、私の『イギリスにおける労働者階級の状態』*に最もよく示されている。しかし、私が一八四五年春にブリュッセルでマルクスと再会したとき、彼はすでにこの根本命題をすっかり仕上げていて、私がここで提示したのとほとんど同じ明確な言葉で私に披瀝したのである。

＊原注 *The Condition of the Working Class in England in 1844*. By Frederick Engels. Translated by Florence K. Wischnewetzky, New York. Lovell—London. W. Reeves, 1888.

一八七二年ドイツ語版へのわれわれの共同序文から、私は以下の部分を引用しておきたい。（略）[4]

本翻訳はサミュエル・ムーア氏によるもので、彼はマルクスの『資本論』の大半を英訳した人物でもある。われわれはそれをいっしょに校閲し、歴史的事項に関するいくつかの説明的注解をつけ加えておいた。

ロンドン、一八八八年一月三〇日
フレデリック・エンゲルス

付録2
エンゲルスが一八八八年英語版に付した注解

1、本書五五頁、表題「I　ブルジョアとプロレタリア」……ブルジョアジーとは近代資本家階級、すなわち社会的生産手段の所有者で賃労働の雇用主のことである。プロレタリアートとは、近代賃金労働者の階級のことで、自己自身のいかなる生産手段も持たず、生きていくためには自己の労働力を売るしかない階級のことである。

2、本書五五頁、冒頭「これまでのあらゆる社会の歴史」……つまり文字に書かれたあらゆる歴史のこと。一八四七年時点では、社会の前史は、すなわち記録に残された歴史以前に存在していた社会組織についてはほとんど知られていなかった。その後、ハクストハウゼンがロシアにおける土地の共同所有を発見し、マウラーが、土地の共同所有こそすべてのチュートン人が歴史の出発点において有していた社会的基盤であることを証明した。そして、やがて、インドからアイルランドに至るまでどこでも村落共同体が社会の原始的形態であったこと、あるいは今日までそうであることがわかった。それらの発見の掉尾(とうび)を飾るのは、氏族の真の性格およびそれと部族との関係に関するモーガンの発見であり、これによってこの原始共産主義社会の内的構造がその典型的な形態で明らかにされた。この原始共同体社会が解体するとともに、異なった諸階級へと分裂しはじめ、最終的には敵対的な諸階級へ分かれる。私はこの解体過程について『家族、私有財産、国家の起源』（第二版、シュトゥットガルト、一八八六年）で跡づける試みを行なった。

3、本書五五頁、「同業組合の親方」……同業組合の正組合員のこと。同業組合内部の親方［資格を有する者］であって、同業組合のトップという意味ではない。

4、本書五七頁、「自治都市（コミューン）」……「コミューン」というのは、フランスで生成しつつあった諸都市において、封建領主や君主から地方自治権や「第三身分」としての政治的権利を勝ち取る以前から採用されていた名称。本書ではおおむね、ブルジョアジーの経済的発展に関してはイギリスを、その政治的発展に関してはフランスを典型的な国として取り上げている。(5)

5、本書九二頁、「復古時代」……一六六〇年から一六八九年のイギリスの復古時代ではなく、一八一四年から一八三〇年のフランスの復古時代のこと。

6、本書九五頁、「取り換えることもいとわない」……このことは主にドイツにあてはまる。ドイツでは地主貴族やユンカー〔東エルベ地方の地主貴族〕は自らの地所の大きな部分を自家経営として土地管理人に耕作させるとともに、さらに大規模なテンサイ砂糖製造業者でありジャガイモ酒の製造業者でもある。より裕福なイギリスの貴族は今のところそこまで落ちぶれてはいない。とはいえ、減少する地代を補うために、大なり小なり怪しげな株式会社の発起人に自分の名義を貸している。

7、本書一〇二頁、「この種の恥知らずで無気力な文献の範疇に入る」……一八四八年の革命的嵐はこのみすぼらしい潮流をまるごと一掃し、その担い手たちにこれ以上社会主義を掲げる気を失わせた。この潮流の主な代表者で古典的なタイプは、カール・グリュンである。

8、本書一〇九頁、「ファランステールの設立、ホームコロニーの建設、小イカリア――新エルサレムの小型版――の創設がそれである」……「ファランステール」とはシャルル・フーリエの計画における社会主義的コロニーのことである。「イカリア」とはカベーが自分のユートピアに、後にアメリカにおける彼の共産主義コロニーに与えた名前である。

9、本書一一〇頁、「社会民主党」……この党は当時、議会ではルドリュ＝ロラン、文献においてはルイ・ブランによって代表され、『レフォルム』という日刊紙を出していた。社会民主党という名前は、それを考え出したこれらの人々と同じく、民主主義的ないし共和主義的党派の中にあって多少なりとも社会主義的傾向を帯びた部分を指している。

訳注

（1）一八八七年九月六日における労働組合第二〇回年次大会でのW・ビーヴァンの発言。

（2）ヴェーラ・ザスーリチは、一八七八年、悪名高いペテルブルク市総督トレポフ将軍を銃で撃って負傷させ、その場で逮捕されたが、ロシア中の知識人や先進的民衆の支持・同情を受け、陪審裁判で無罪を勝ち取り、その後スイスに亡命した。エンゲルスが「英雄的」と言っているのはこのこと。この事件のあまりに大きな反響ゆえに、革命的ナロードニキの主流派はテロ路線に走り（人民の意志派）、皮肉なことに、この路線転換のきっかけを作ったザスーリチ自身は、プレハーノフとともに地道な宣伝を重視する少数派（黒い割替派）の側に立った。エンゲルスは当初、一八八二年の新しいロシア語訳がザスーリチの手によるものと思っていたが（ザスーリチはエンゲルスの『空想から科学へ』などをロシア語に翻訳している）、後に「『ロシアの社会状態』あとがき」（一八九四年）の中でプレハーノフが翻訳者であることを認めている（邦訳『マルクス・エンゲルス全集』第二二巻、四二五頁）。

（3）ラウラ・ラファルグによる『共産党宣言』のフランス語訳は、エンゲルスの協力のもと『ル・ソシアリスト』に一八八五年八月から一一月にかけて発表される（一八七二年に出ていたニューヨークの『ル・ソシアリスト』とは別なので注意）。この翻訳は後にラウラ本人とエンゲルスによってさらに修正されて、一八九四年九月から一一月まで、『エール・ヌーヴェル』に掲載された。

（4）本書の一二一頁の「この二五年間に状況が大きく変化したとはいえ」から始まって、一二三頁の「われわれにはもはやそれを変更する権利はない」までの文章が引用されている。

（5）一八九〇年ドイツ語版では、エンゲルスによって以下の注が代わりに付されている——「これは、イタリアとフランスの都市住民が、封建領主たちからその自治権を最初に買い取ったか奪い取った後に自分たちの自治都市に付けた名前である」。

5　一八九〇年ドイツ語版序文

〔冒頭で一八八三年ドイツ語版序文を再録〕

以上のことを書いてから、再び新しいドイツ語版が必要になった。また、『宣言』に関してもさまざまなことが起こったので、ここではそのことについて記しておきたい。

まず第二のロシア語訳――ヴェーラ・ザスーリチ〔正しくはプレハーノフ〕によるもの――が一八八二年にジュネーブで出版された。それへの序文はマルクスと私によって書かれた。残念なことに、その元のドイツ語原稿がどこかに行ってしまったので、何ら得るところのない仕事ではあるが、わざわざロシア語から訳し戻さなければならなかった[1]。それは以下のとおりである。（略）

同じ時期に、新しいポーランド語訳（"Manifest komunistyczny"）がジュネーブで出版された。

さらに、新しいデンマーク語訳が「社会民主主義文庫」として一八八五年にコペンハーゲンで出版された。それは残念ながら不完全なものだ。いくつかの重要な箇所が訳者には難しく思われたようで、それらの箇所が省略されているし、さらにあちこちに不注意な訳が散見される。訳者がもう少し多くの労をとっていたなら十分立派な翻訳になったと思われるだけに、なおさらその不注意さが不快な形で目立つ。

新しいフランス語訳は一八八六年［一八八五年］にパリの『ル・ソシアリスト』に発表された。これまで出た中で最も優れた翻訳である。

その後、スペイン語版が同じ一八八六年に出版された。最初はマドリードの『エル・ソシアリスタ』に発表され、その後、パンフレットとして出版された。*Manifesto del Partido Comunista,* por Carlos Marx y F. Engels, Madrid, Administración de *El Socialista,* Hernán Cortés.

一つ面白い話がある。一八八七年にアルメニア語訳の原稿がコンスタンチノープルの出版社に送られた。しかし、出版社の好人物はマルクスという名前の入ったものを出す勇気がまだなく、翻訳者自身が自分の名前を著者名にしてはどうかと提案したが、これは訳者によって拒否された。

アメリカでは二つの翻訳が相ついで出版され、イギリスでも何度も版を重ねたが、どちらも多かれ少なかれ不正確なものだった。その後ようやく著者認定の翻訳が一八八八年に出版された。それは私の友人サミュエル・ムーアによるもので、出版前に私と彼とでもう一度いっしょに校閲した。書誌情報は以下の通りである。*Manifesto of the Communist Party*, by Karl Marx and Frederick Engels. Authorized English Translation, edited and annotated by Frederick Engels, 1888, London, William Reeves, 185 Fleet St., E.C. 私がこの英語版に付した注のいくつかは今回のドイツ語版にも入れておいた。

『宣言』はそれ自身の歴史を持っている。それが最初に発表されたとき、当時はまだごく少数であった科学的社会主義の前衛たちによって熱狂的に歓迎された（最初の序文［一八七二年ドイツ語版序文］で言及された各種翻訳に示されているように）。しかし、まもなくして、一八四八年六月におけるパリ労働者の敗北とともに始まった反動によって後景に退けられ、さらに、一八五二年一一月におけるケルンの共産主義者たちに対する有罪判決によって最終的に「法律上の」破門を宣告された。［フランス］二月革命から始まった労働者運動が公の舞台から姿を消すのに伴って、『宣言』もまた後景に追いやられたのであった。

ヨーロッパの労働者階級が支配階級の権力に対する新たな攻撃を加えるほどに十分復活したころ、国際労働者協会が生まれた。この団体は、ヨーロッパとアメリカの戦闘的プロレタリアートの全体を一大軍勢に結集させるという目的をもっていた。それゆえ、『宣言』で述べられている［共産主義的な］諸原理にもとづくことはできなかった。その綱領は、イギリスの労働組合や、フランス、ベルギー、イタリア、スペインにおけるプルードン主義者、ドイツのラサール派にも門戸を閉じないようなものでなければならなかった。この綱領――インターナショナルの規約前文(2)――はマルクスによって、バクーニンやアナーキストたちでさえ認めたほどの見事さで作成された。『宣言』で述べられた諸命題の最終的勝利に関しては、マルクスは、労働者階級がその共同行動と相互討論を通じて必ずや知的発展を遂げるだろうということに全面的に依拠していた。資本に対する闘争の諸事件やさまざまな紆余曲折は――勝利よりもむしろ敗北の方がなおのこと――、間違いなく、闘う人々に、これまでの万能薬が不十分であることをはっきりと示し、労働者の解放のための真の諸条件に対する根本的な洞察を受け入れざるをえなくなるだろう、と。そしてマルクスは正しかった。インターナショナルは一八七四年に解体したのだが、その時の労働者階級は、インターナショナルが創設された一八六四年の時とはまったく異なっていた。ラテン系諸国におけるプルードン主義とドイツにおける独自のラサール主義は死に絶えつつあったし、イギリスの超保守的な労働組合でさえ、一八八七年のスウォンジ大会の議長が、正式に「大陸の社会主義は〔……〕われわれにとって恐るべきものではなくなった」と言えるまでになった。ところで、「大陸の社会主義」というのは、一八八七年時点ではすでに、『宣言』で明らかにされた理論のことをほとんどもっぱら指すものだったのである。こうして、『宣言』の歴史は、かなりの程度、一八四八年以降の近代労働者運動の歴史を反映している。現時点でそれはあらゆる社会主義文献の中で疑いもなく最も普及し、最も国際的なものになった作品であり、シベリアからカリフォルニアまであらゆる国の幾百万の労働者階級によって共通の綱領と認められている。

とはいえ、これが書かれたとき、われわれはそれを『社会主義者宣言』と名づけることはできなかった。一八四七年当時において社会主義者と言えば、二つのタイプの人々を指していた。一方では、さまざまなユートピア的体系の支持者たち、イギリスのオーウェン主義者やフランスのフーリエ主義者のことであった。どちらもすでに単なるセクトの地位に落ちぶれていて、しだいに死に絶えつつあった。他方では、あらゆる種類の社会的山師のことであって、資本や利潤に少しの打撃も与えることなしに、さまざまな万能薬、ありとあらゆる継ぎはぎ細工でもって社会悪を取り除こうとしていた。どちらの場合も、彼らは労働者運動の外部におり、むしろ「教養ある」階級に支援を求めた。それに対して労働者階級の一部、すなわち単なる政治革命では不十分なことを確信していて、社会の根本的な変革が必要であると公言していた人々は当時、共産主義者を名乗っていた。それはまだ粗削りで、単に直観的で、しばしば粗野な共産主義であった。だがそれは、ユートピア共産主義の二つの体系をつくり出すほどにすでに有力だった。フランスのカベーの「イカリア共産主義」と、ドイツのヴァイトリングの共産主義である。だから社会主義とは一八四七年にはブルジョア的運動を意味しており、共産主義は労働者の運動を意味していた。社会主義は少なくとも大陸では上流社会的だった。共産主義はその正反対物だった。そして、われわれは当時すでに、「労働者階級の解放は労働者階級自身の事業でなければならない」という見解にきっぱり立っていたのだから、どちらの名前を採用するべきかにいかなる疑問の余地もなかった。それ以降も一度としてその名前を拒否しようと思ったことはない。

「万国のプロレタリア、団結せよ！」。四二年前に、プロレタリアートが独自の諸要求をもって登場した最初のパリ革命の前夜、われわれがこの言葉を世界に発したとき、それに応えた声はごくわずかだった。だが、一八六四年九月二八日、西ヨーロッパ諸国の大部分の国々のプロレタリアートが協力して、あの偉大なる国際労働者協会を結成した。たしかに、インターナショナル自身は九年間しか存続しなかった。しかし、それによってつくり出された万国のプロレタリアの永遠の結びつきは今でも生きており、かつてなく強くなっている。そして、まさに今日という日［五月一日］はそのことを物語るこの上ない証人となっている。というのは、私がこの一文を書いている本日、ヨーロッパとアメリカのプロレタリアートは、一つの軍勢として、一つの旗のもとに、一つの当面する目標のために初めて動員されたその兵力を閲兵しているからである。その目標とは、八時間の標準労働日を法的に制定することであり、それはすでに一八六六年のインターナショナル・ジュネーブ大会(3)で宣言され、一八八九年のパリの労働者大会(4)において再度宣言された。そして、今日のこの壮大な光景はすべての国の資本家と地主たちに、今では万国の労働者が実際に団結しているという事実に目を開かせるだろう。

マルクスが私のそばに立って、この光景をその目で見ることができたなら！

ロンドン、一八九〇年五月一日
F・エンゲルス

訳注

（1）後にこのドイツ語原稿は見つかっている。ここでエンゲルスがドイツ語に訳しなおしたものは、元のドイツ語原稿と部分的に異なっている。

（2）「インターナショナルの規約前文」……以下の文章で始まる——「労働者階級の解放は、労働者階級自身によって闘いとられなければならないこと、労働者階級を解放するための闘争は、階級的な特権と独占をめざす闘争ではなく、平等の権利と義務のため、またあらゆる階級支配を廃絶するための闘争を意味すること、生活の糧たる労働手段を独占する者たちへの労働者の経済的隷属こそ、あらゆる形態の奴隷制、あらゆる社会的悲惨、知的退廃、政治的従属の根底にあること、したがって、労働者階級の経済的解放が大目的であり、あらゆる政治的運動は手段としてこの目的に従属すべきものであること」（邦訳『マルクス・エンゲルス全集』第一六巻、一二頁）。

（3）「一八六六年のインターナショナル・ジュネーブ大会」……一八六六年九月三〜八

日にジュネーブで開催された第一インターナショナルの最初の大会。マルクスが起草した「個々の問題に関する暫定中央評議会代議員への指針」(『賃労働と資本／賃金・価格・利潤』光文社古典新訳文庫、二〇一四年に収録)にもとづいて、八時間労働制などに関する諸決議が採択された。

(4)「一八八九年のパリの労働者大会」……一八八九年七月一四〜二〇日にパリで開催された第二インターナショナルの創立大会。ヨーロッパ、ロシア、アメリカなどほとんどすべての労働者政党、社会主義政党の代表者が集まり、常備軍の廃止と民兵制、国際的な八時間労働制の確立などを決議した。また、アメリカの代表ゴンパースの要請にもとづいて、翌年の五月一日を、すべての国々で八時間労働制を求めるデモンストレーションを決行する日と定め、それが国際メーデーの第一回目となった。

6 一八九二年ポーランド語版序文

新しいポーランド語版の『共産党宣言』が必要になった事実はさまざまな考察を喚

起する。

まずもって注目すべきことは、最近、『宣言』はいわば、ヨーロッパ大陸における大工業の発展の指標になっていることである。ある国で大工業が発展すればするほど、その国の労働者のあいだで、有産階級に対する労働者階級の地位について解明することを望む欲求が高まり、社会主義運動が彼らのあいだで広がり、『宣言』に対する需要が増大する。それゆえ、各国における労働者運動の状況だけでなく、大工業の発展の度合いについても、その国の言語での『宣言』の普及部数でかなり正確に測ることができるのである。

したがって、この新しいポーランド語版が示しているのは、ポーランドの工業が決定的な進歩を遂げたことである。そして、古い版が一〇年前に出版された後に、この進歩が実際に生じたことにいかなる疑いもない。ロシア領ポーランド、すなわち会議ポーランド(1)はロシア帝国の大工業地帯となった。ロシアの大工業が分散しているのに対して――一部はフィンランド湾沿岸にあり、一部は中央部（モスクワとウラジーミル）にあり、第三のものは黒海とアゾフ海〔黒海北部にある内海〕の沿岸であり、残りはその他さまざまな地域に散らばっている――、ポーランドの工業は比較的小さな空間に密集しており、このような集中から生じる有利さと不利さの両方を享受している。有利さについては、競争相手であるロシアの工場主たちからも認められている。なぜなら、ロシア人工場主は、ポーランド人をロシア人化することをあんなに熱心に望んでいるにもかかわらず、ポーランドに対する保護関税を要求しているからである。不利さ——ポーランドの工場主とロシア政府にとってのそれ——は、ポーランド人労働者のあいだで社会主義思想が急速に広がり、『宣言』に対する需要が急増していることに示されている。

しかし、ロシアの工業をもしのぐポーランド工業の急速な発展は、ポーランド民族の不屈の生命力を新たに証明するものであり、その国民的復活が差し迫っていることを新たに保障するものでもある。そして、独立した強力なポーランドの復活はポーランド人だけの問題ではなく、われわれ全員にとっての問題でもある。ヨーロッパ諸国民の本格的な国際的協力は、それぞれの国民がそれぞれの地元で十分に自立的である場合のみ可能になる。一八四八年革命は、プロレタリアートの旗のもとで、結局、ブルジョアジーの仕事をプロレタリア闘士たちに行なわせるものにすぎなかったが、同時に、その遺言執行人であるルイ・ボナパルトとビスマルクを通じてイタリア、ドイツ、ハンガリーの独立［と統一］を実現した。しかしポーランドは、一七九二年以来、これら三つの国を合わせたよりも多くのことを革命のために成し遂げたのに、一八六三年に十倍も強大なロシア軍の前に屈したとき、見捨てられてしまった。[2]貴族はポーランドの独立を維持することも再び闘いとることもできなかった。ブルジョアジーはというと、彼らにとって独立は今日、［ロシアの支配のもとで十分に大工業が発展しているので］控えめに言っても、どうでもいい問題である。それにもかかわらず、ポーランドの独立はヨーロッパ諸国民の調和的な協力にとって不可欠である。それはただ若いポーランド・プロレタリアートによってのみ獲得されるだろうし、その手中においてこそしかるべく維持されるだろう。ポーランド人の独立は、ポーランド人労働者自身にとって必要であるのと同じく、ヨーロッパのその他のすべての国の労働者にとっても必要なのだ。

ロンドン、一八九二年二月一〇日

F・エンゲルス

訳注

（1）「会議ポーランド」……ポーランドは一八一五年のウィーン会議で三分割されたが、そのうちロシア帝国の支配下に置かれた部分であるポーランド王国のこと。一八六三年以降、完全にロシア帝国の一部とされる。

（2）ロシア帝国の支配下にあったポーランド人民は、ロシア帝国陸軍へのポーランド人の徴兵に抗議して一八六三年一月に武装蜂起を行ない、ゲリラ戦を繰り返したが、結局ロシア軍に鎮圧された。

7 イタリアの読者へ（一八九三年イタリア語版序文）

『共産党宣言』が世に出たのは、ちょうどあの一八四八年三月一八日のことであり、[1]すなわちミラノとベルリンで起こった革命と日付の点でも一致している。[2]かたやヨーロッパ大陸の中心部に位置し、かたや地中海に位置する二つの国民の蜂起であった。両国とも、その時まで、領土的に細分化され内部での抗争を繰り返してきたことで弱体化し、他国の支配下に陥っていた。イタリアはオーストリア帝国に隷属し、ドイツは「全ロシアの皇帝」［ツァーリの偉大さを示す決まり文句］のくびき、より間接的だが同じくらい過酷なくびきにつながれていた。一八四八年三月一八日の結果、イタリアとドイツの両国はこの不名誉な状態から解放された。一八四八年から一八七一年までに、この二つの偉大な国民が復活し、ある程度再び自らの足で立つようになったのは、カール・マルクスがかつて述べたように、一八四八年革命を鎮圧した当の人々が、自らの意志に反してこの革命の遺言執行人になったからであった。

この革命は当時どこにおいても労働者階級の事業だった。バリケードを築き、その命を犠牲にしたのは労働者階級だった。政府を転覆したとき、ブルジョア体制も転覆するというはっきりとした意図を持っていたのはパリの労働者だけだった。彼らは自分たちの階級とブルジョアジーとのあいだにある不可避の対立関係を意識していたのだが、フランスの経済的発展も、フランス労働者大衆の知的発達も、社会の根本的な変革を可能とするほどの水準にはまだ達していなかった。それゆえ革命の果実は、結局のところ、資本家階級に刈り取られることになった。他の国々、すなわちイタリア、ドイツ、オーストリアでは、労働者は最初からブルジョアを権力の座に就ける以上のことを何もしなかった。しかし、どの国においても、ブルジョアジーの支配は民族独立なしには不可能である。したがって、一八四八年革命は、それまで統一と独立とを有していなかった諸国、すなわちイタリア、ドイツ、ハンガリーにそれらを招来させないわけにはいかなかった。ポーランドもいずれその後に続くだろう。

それゆえ、一八四八年革命は何ら社会主義革命ではなかったにもかかわらず、この社会主義革命のために道を掃き清め、そのための基盤を準備した。あらゆる国々で大工業が発展するのに伴って、ブルジョア体制はこの四五年間にあらゆるところで、数が膨大で固く結束した強力なプロレタリアートを生み出した。つまり、『宣言』の表現を用いるなら、自分自身の墓掘り人をつくり出した。ヨーロッパ諸国民の独立と統一とが復活することなしには、共通の目標を達成するためのプロレタリアートの国際的団結も、これらの諸国民の平和的で理性的な協力も、およそ不可能だったろう。一八四八年以前の政治的状況のもとで、はたしてイタリア、ハンガリー、ドイツ、ポーランド、ロシアの各国労働者が何か共同の国際的行動をとることが可能だったか、想像してみてほしい！

したがって、一八四八年の諸闘争はけっして無駄ではなかった。あの革命期から今日に至るまでの四五年間もけっして無意味に過ぎ去ったわけではなかった。今や果実は熟しつつある。そして、最初の『宣言』の出版が国際革命の前触れとなったように、この『宣言』のイタリア語訳の出版がイタリア・プロレタリアートの勝利の前触れになることを私は望んでやまない。

『宣言』は資本主義が過去に果たした革命的役割にも十分正当な注意を払っている。最初の資本主義国家はイタリアだった。そのとき、封建的中世の終わりと近代資本主義時代の始まりとを画す一人の巨人が姿を現わした。イタリア人のダンテである。彼は中世の最後の詩人であるとともに近代の最初の詩人でもある。西暦一三〇〇年前後と同じく、今日も新しい歴史時代が近づきつつある。イタリアは、この新しいプロレタリア時代の誕生の時を告げる新しいダンテをわれわれに与えてくれるだろうか?

ロンドン、一八九三年二月一日

フリードリヒ・エンゲルス

訳注

（1）『共産党宣言』が出版されたのは、正しくは一八四八年の二月。

（2）一八四八年三月一八日はドイツ三月革命が勃発した日。この日、ベルリンで軍隊と市民の大規模な衝突が起こり、プロイセンのヴィルヘルム四世は連合州議会の召集、出版の自由、憲法の制定を認め、カンプハウゼンによる自由主義内閣が成立した。同じ三月一八日に、オーストリア帝国の一構成国の支配下にあったミラノにおいてオーストリア軍に対する民衆蜂起が勃発した。

第Ⅲ部　『共産党宣言』に関するマルクス、エンゲルスの手紙の抜粋

1　マルクス生前の手紙

1、エンゲルスからマルクスへ（一八四七年一一月二三～二四日）

ところで「信条表明」［共産主義者同盟の綱領］の件についてちょっと考えてほしいのだが、教理問答（カテキズム）の形式はやめてしまって、「共産党宣言（Kommunistisches *Manifest*）」というタイトルにするのがいちばんいいのではないかと思う。そこでは、多少なりとも歴史について語らなければいけないのだから、従来のような問答形式ではまったくそぐわない。僕が書いたもの［「共産主義の原理」］をそちらに持って行く。それは平易に書かれているが、とても急いでやったので、ひどい構成になっている。共産主義とは何かということから始めて、それからただちにプロレタリアートのことに移っている。その発生史、それが以前の労働者とどう違うのか、プロレタリアートとブルジョアジーとの対立の発展、恐慌、結論、となっている。その合間に、さまざまな二次的な事柄について述べ、最後に、公開しておくべき範囲での共産主義者の党政策だ。こっちのものはまだ全部は承認を取るために提出してはいないが、二、三のまったく取るに足らない点を除けば、少なくともわれわれの見解に反するようなものは一つも含まれていないと思う。

2、共産主義者同盟中央部（在ロンドン）からブリュッセル地区組織へ（一八四八年一月二五日）

中央部は、同志マルクスに次のことを伝えるようブリュッセル地区組織に依頼する。直近の大会[1]でマルクスに起草が委ねられた共産党宣言（Manifest der kommunistischen Partei）が今年の二月一日火曜日までにロンドンに到着しない場合には、彼に対してさらなる措置が講じられるだろう。マルクスが宣言を起草できない場合には、中央部は、大会によって彼に送付された文書類をただちに送り返すよう求める。署名：シャッパー、バウアー、モル[2]

（1）直近の大会……一八四七年一一月二九日から一二月八日までロンドンで行なわれた共産主義者同盟第二回大会のこと。シャッパーが議長を務め、エンゲルスが書記を務め、マルクスも出席し積極的に討議に参加した。この大会の最終日の決議でマルクスとエンゲルスに『共産党宣言』の起草が委ねられ、これまで同盟員によって書かれたさまざまな草稿や信条表明その他の文書類が両名に託された。両名はこれらの文書類を持ってロンドンからブリュッセルに帰って、そこで宣言を練り上げたが、一八四七年一二月末にエンゲルスがパリに移ったので（民主主義協会の在パリ代表に選出されたため）、マルクスが一八四八年一月中に現在残されている形に宣言を仕上げ、一月末ないし二月初めにロンドンに送付し、同書は修正なしにロンドンで印刷された。

（2）シャッパー、バウアー、モル……全員が義人同盟（正義者同盟）以来の幹部で、共産主義者同盟の中央部メンバー。カール・シャッパー（一八一三〜一八七〇）は植字工で、マルクス、エンゲルスに強い影響を与え、『共産党宣言』や『新ライン新聞』の校正も担う。一八五〇年の共産主義者同盟の分裂の際にはマルクス、エンゲルスと対立したが、その後、和解し、国際労働者協会でも活躍。ハインリヒ・バウアー（一八一三／四〜?）はフランケン出身の靴工で、一八五一年にオーストラリアに移住。没年不明。ヨーゼフ・モル（一八一二〜一八四九）はケルン出身の時計工。一八四九年に革命軍兵士としてバーデンで戦死。後年、エンゲルスはこの三人について「私が初めて見た革命的プロレタリアだった」と回想している（エンゲルス「共産主義者同盟の歴史によせて」、邦訳『マルクス・エンゲルス全集』第二一巻、二一二頁）。

3、エンゲルスからマルクスへ（一八四八年四月二五日）

エーヴェルベック[1]はパリで『宣言』をイタリア語とスペイン語とに翻訳させているところで、この目的のために六〇フラン送ってほしいと言ってきている。彼はそれだけの額を支払う約束をしたというのだ。またしても彼にありがちな話だ。翻訳はさぞ立派なものになるだろう。僕は英訳に取りかかっているが、思っていたよりも難しい。だが、半分以上はもうできているので、まもなく全部できるだろう[2]。

（1）エーヴェルベック、アウグスト・ヘルマン（一八一六〜一八六〇）……ドイツ人の医師で文筆家。義人同盟のパリ班で活動し、共産主義者同盟のパリ地区組織で活動。一八五〇年に離党。

（2）この英訳は結局完成しなかったようだ。

4、エンゲルスからマルクスへ（一八五一年一月八日）

ここにいるハーニー[1]の友人の一人は退屈なスコットランド人で、とてつもなく気が長く、それゆえ延々と話し続ける。二人目は小柄で意志堅固で怒りっぽい若造だが、その知的能力についてはまだよくわからない。三人目は、ハーニーが僕に言ってなかった男で、ロバートソンとかいうのだが、いちばん知的にすぐれているように思われる。これらの連中と小さなクラブをつくるか、あるいは定期的に会合をもって、いっしょに『宣言』を使って議論をしようと思っている。

（1）ハーニー、ジョージ・ジュリアン（一八一七～一八九七）……イギリス労働運動の重鎮で、チャーチスト左派。『ノーザン・スター』の編集者。

5、エンゲルスからマルクスへ（一八五一年五月九日）

［マルクスへの］悪口雑言がドイツでもアメリカやロンドンに劣らず盛んに流布されているというのは、いかにもありそうなことだ。今や君は二つの世界［新世界と旧世界］から同時に攻撃されるという誇るべき地位にある。これはナポレオンにもなかったことだ。……だが彼らには『新ライン新聞』や『宣言』やその他もろもろのものを歴史から拭い去ることなどできはしない。そして、彼らがどんなに吠えても何の役にも立たない。

6、エンゲルスからドロンケ[1]**（在ジュネーブ）へ**（一八五一年七月九日）

しかしジョーンズ[2]は、ハーニーとはまったく違った人物であり、その件[3]ではすっかりわれわれの側に立っていて、今ではイギリス人に『宣言』の説明をしている。

（1）ドロンケ、エルンスト（一八二二～一八九一）……ジャーナリストで共産主義者同盟に参加。一八四八～四九年には『新ライン新聞』の編集に参加。

（2）ジョーンズ、アーネスト・チャールズ（一八一九～一八六九）……イギリスの労働運動家で詩人、チャーチスト左派指導者。『ノーザン・スター』の編集者の一人。

（3）その件……一八五〇年二月にドイツ人の亡命者同士（その当事者の一方はエンゲルスの友人）で喧嘩沙汰が起こり、その場にいたハーニーがだらしのない態度を取ったとエンゲルスは手紙の中で不平を書いている。

7、エンゲルスからマルクスへ（一八五一年七月二〇日ごろ）

他方で、実に喜ばしいことに、予想したとおり、『宣言』にもとづいて小さな共産主義グループが至る所で形成されつつある。これこそ、従来の参謀本部の弱さゆえに、われわれに欠けていたものだ。事態がここまで来れば、兵卒は自然と見つかる。

8、エンゲルスからマルクスへ（一八五一年八月二一日）

ところで、エーヴェルベックは『宣言』の自分の［フランス語］訳と、おそらくは、これもこっそりとだろうが、『評論』[1]での君の論文［『フランスにおける階級闘争』］からのいくつかの訳文をプルードン[2]に渡してやったにちがいない。［『一九世紀における革命の一般理念』における］いくつかの論点は明らかにそこから拝借したものだ。たとえば、政府とはある階級が他の階級を抑圧するための権力（Macht）に他ならず、階級対立の消滅とともに消滅するだろうということ。それから、一八四八年以降のフランスの運動に関する多くの論点。彼が以上のことを、彼を批判した君の本［『哲学の貧困』］の中に見出したとは思えない。

（1）『新ライン新聞：政治経済評論』……マルクスとエンゲルスによって一八五〇年一月に創刊され一八五〇年一一月の五・六号合併号まで出された。この雑誌の中でマルクスの「フランスにおける階級闘争」やエンゲルスの「ドイツ国憲法戦役」などをはじめとする重要論文が多数掲載された。

（2）プルードン、ピエール・ジョゼフ（一八〇九～一八六五）……フランスの社会主義者で無政府主義の創始者。彼の『所有とは何か』（一八四〇年）はマルクスとエンゲルスに大きな影響を与えた。『一九世紀における革命の一般理念』は『アナキズム叢書　プルードンⅠ』（三一書房、一九七一年）に所収。

9、マルクスからエンゲルスへ（一八五一年一〇月一三日）

他の点は別にしても、サゾーノフ[1]の手紙に関して最も興味深いのは、それが「パリ」から出されていることだ。どうしてサゾーノフはこんな大変な時にパリに来ているのだろう！　この謎は彼自身に説明してもらおう。彼はまたドロンケについてくどくど文句を言っている。怠け者で、二、三のブルジョアにあっさり「取り込まれ」ている、と。自分［サゾーノフ］はもう『宣言』を半分［フランス語に］翻訳し、ドロンケが残り半分の翻訳をすることになっているのだけれども、ドロンケのいつものいいかげんさと怠け癖のせいで、全体ができ上がらないんだと。

（1）サゾーノフ、ニコライ・イワノヴィチ（一八一五～一八六二）……ロシアの自由主義者でジャーナリスト。一八四〇年代に外国に移住し多くの論文を執筆。

10、マルクスからヴァイデマイアー[1]（在ニューヨーク）へ（一八五一年一〇月一六日）

ところで、君にもう一つお願いしたいことがある。ドイツ人でカトリックの元神父コッホ[2]から頼まれて（……）、僕は彼に『宣言』（ドイツ語）を二〇部とその英訳[3]を一部送ってやったのだが、そのついでに、それ――英訳――をハーニーのまえがきといっしょにパンフレットにして印刷するよう彼に依頼した。それ以来、コッホ氏から音沙汰がない。1、僕にあれほど熱心な手紙を寄こしておいて、その後このような不審きわまりない沈黙を続けていることへの説明を求めてほしい。2、この英訳を彼から手に入れて、それをパンフレットの形で何とかできないか、つまりそれを印刷し、配布し、売ることができないか、検討してみてくれ。言うまでもないことだが、儲けが出たら、君のものにしてもらってけっこうだが、われわれの方にも二〇～五〇部ほど送ってもらいたい。

（1）ヴァイデマイアー、ヨーゼフ（一八一八～一八六六）……共産主義者同盟の有力メンバーで、『新ドイツ新聞』の編集者。一八五一年にアメリカに移住。

（2）コッホ、エドゥアルト・イグナツィ（一八二一〜一八七五）……カトリックの神父で社会主義者。一八四八年革命にドイツで参加。一八五〇年にアメリカに移住。

（3）英訳……ヘレン・マクファーレンの訳で一八五〇年の『レッド・リパブリカン』に連載されたもの。詳しくはII—1の注（3）を参照。

11、ジェニー・マルクス（在ロンドン）からエンゲルスへ（一八五一年一二月一七日）

もし英語の『宣言』［『レッド・リパブリカン』掲載のもの］を手元にお持ちでしたら、それを持ってきてください。

12、エンゲルスからジェニー・マルクスへ（一八五一年一二月一八日）

君からの二通の手紙を受け取った。（……）英語版の『宣言』と、ここでも入手できるニューヨークの『シュネルポスト』を持っていく。

13、マルクスからヴァイデマイアーへ（一八五二年三月五日）

ジョーンズの手紙の下に次のようなコメントをつけ加えてもよいだろう。すなわち、ハインツェン氏[1]の権威の一つであるジョージ・ジュリアン・ハーニーに関して言うと、彼はその『レッド・リパブリカン』にわれわれの『共産党宣言』を英語で掲載し、「これまで世に出た中で最も革命的な文書（the most revolutionary document ever given to the world）」というまえがきをつけたこと、また、彼の『デモクラティック・レヴュー』[2]には、ハインツェンによって「払いのけられた」知恵の言葉、すなわち『新ライン新聞・評論』に掲載された［一八四八年の］フランス革命に関する私の諸論文［「フランスにおける階級闘争」］が訳載されたこと、さらに彼はルイ・ブランに関する論考の中で、これらの論説をフランスの事件に対する「真の批評」として引き合いに出していることだ。

（1）ハインツェン、カール（一八〇九〜一八八〇）……小ブルジョア急進主義者で、マルクスの論敵。一八四八年革命に参加し、その後イギリスに亡命し、一八五〇年にアメリカに移住。

（2）『デモクラティック・レヴュー』……チャーチストの月刊誌で、一八四九年六月から一八五〇年九月までロンドンで、ジョージ・ジュリアン・ハーニーによって発行された。

14、エンゲルスからマルクスへ（一八五二年八月二四日）

オーストラリアも有害だ。まずもって、直接にそこでの金(きん)を通じて、また、それ以外のあらゆる輸出品の停止によって。同じく、それに伴うあらゆる商品の輸入増大を通じて。さらに、週に五〇〇〇人という割合で、同国が過剰人口を流出させていることによって。カリフォルニアとオーストラリアは、『宣言』では予測されていなかった二つのケースだ。すなわち、新しい大市場がゼロから創造される事態だ。これらは今後、考慮に入れなければならない。

15、エンゲルスからヴァイデマイアーへ（一八五三年四月一二日）

プロレタリア革命の前提条件となるもの、すなわちわれわれのために戦場を準備して道を掃き清める諸措置（単一不可分の共和国など）、つまり本来ならそれを実現するか、少なくともそれを要求することが当然の使命であった連中［ブルジョアジー］に抗して、当時われわれが代行しなければならなかったもろもろのこと、そうしたものはすべて今では承認されており、紳士諸君も認識している。今度はわれわれはいきなり『宣言』から開始するだろう。それはおおむねケルン［共産党］裁判(1)のおかげであり、ドイツ共産主義は……この裁判を通じて卒業試験に受かった。

もちろん以上はすべて理論にかぎっての話だ。実践においては、われわれは、いつものように、何よりも断固たる措置と容赦のない立場を要求することにとどまるだろう。これが実は厄介な点なのだ。そういう予感がするのだが、他のあらゆる党が無力で意気地がないせいで、われわれの党がある日突然、政権の座に就くことを余儀なくされ、結局は、直接われわれの利益ではなく、一般に革命的で特殊に小ブルジョア的な利益にもとづく政策を遂行するはめになるのではなかろうか。その場合、われわれは、プロレタリア民衆によって駆り立てられ、自分たち自身のすでに発表した声明や計画——多かれ少なかれ間違って解釈され、党派闘争の中で多かれ少なかれ激情に駆られて書かれたもの——に縛られて、共産主義的実験や飛躍を、それがどんなに時宜にかなっていないか誰よりも自分がよく知っていながら、実行するはめに陥るだろう。そして、ついにはすっかり度［頭］を失い——肉体的な意味で頭を失うだけならまだいいが——、反動がやって来ると、世界がその種のことに一定の歴史的判断を下せるようになるまで、われわれは化け物扱いされるだけでなく……、ばか者扱いされることになり、こちらの方がはるかにまずい。……

ドイツのように後進国でありながら先進的党を有し、しかもフランスのような先進国といっしょに先進的革命に巻き込まれるなら、何らかの本格的な衝突が起こるやいなや、また現実の危険が現われるやいなや、不可避的に先進的党の出番が回ってくる。しかもいつの場合もその本来の時期より前に回ってくるのだ。

（1）ケルン裁判……一八五一年にプロイセンの警察によってでっち上げられ、ケルンの一一人の共産主義者が逮捕・拘留・起訴され、最終的に一八五二年一〇～一一月に行なわれた裁判。被告たちは三年から六年の禁固刑を言い渡された。この裁判に関して、マルクスは『ケルン共産党裁判の真相』（邦訳『マルクス・エンゲルス全集』第八巻所収）という小冊子を執筆した。

16、マルクスからエンゲルスへ（一八六三年一月二八日）

イツィヒ［ラサール］[1]は僕に……法廷で彼が行なった弁護演説（四ヵ月の刑を宣告された）を送ってきた。若者よ、汝の武勇を示せ！[2] 第一にこのうぬぼれ屋は、君も持っているパンフレット、「労働者の身分」に関する演説をスイスで『労働者綱領』[3]という大げさなタイトルで再版させた。

君も知ってのとおり、これは『宣言』や、その他われわれが繰り返し主張してすでにある程度常識となっていることを拙劣に俗流化したものでしかない（たとえば、やつは労働者階級を

「身分」と呼んでいる)。

(1)ラサール、フェルディナント(一八二五～一八六四)……ドイツ労働運動の父と呼ばれ、実践的にドイツの社会主義的労働運動を組織化するうえで決定的な役割を果たし、一八六三年にドイツ労働総同盟を設立。その翌年に決闘で死亡。

(2)「若者よ、汝の武勇を示せ!」……古代ローマの詩人ウェルギリウスの長大な叙事詩『アエネーイス』の一幕で、アポロンがアスカニウスの武勇をほめたたえた言葉のもじり。

(3)『労働者綱領』……邦訳は、ラサール『憲法の本質・労働者綱領』法律文化社、一九八一年。

17、エンゲルスからマルクスへ(一八六三年一一月二四日)

ラサールは自分の運動をすっかり台無しにされたが、このことはもちろんのこと、彼が再び最初からやり直す妨げにはならない。いずれにせよ、このとんまは、こういう時期にはブルジョアに対してどのような態度を取るべきかについて、『宣言』から十分学ぶことができたろうに。

18、マルクスからベッカー(1)へ（一八六六年一月一三日）

同封しておいた、私が今日受け取った（というよりも妻が受け取った）伝票から、約二週間前に君に送った小包が優秀なフランス警察によって没収されたことがわかるだろう。小包に入っていた主なものは『共産党宣言（*Manifeste der Kommunistischen Partei*）』だ。小包にはまた、君の質問に対する私からの簡単な回答、私が君のアピールを『ワークマンズ・アドヴォケート』(2)に英語で掲載させたことをベンダー［ロンドンの書籍商］が喜んでいることを君に知らせた手紙、さらに、スイス人の活動に関する報告、なども入っていた。……

『宣言』を君に送るのにどのような手段を使ったらいいのかについて君から返事を聞くまえに、マインツ経由で一部だけためしに送ってみる。その中のいくつかの部分は君の新聞に利用できるかもしれない。

（1）ベッカー、ヨハン・フィリップ（一八〇九～一八八六）……プファルツ出身のブラシ製造工。一八四八～四九年革命に参加。国際労働者協会の活動に積極的に参加。

（2）『ワークマンズ・アドヴォケート』……ロンドンの労働者週刊紙。一八六五年からインターナショナル総評議会の正式の機関紙に。一八六六年に『コモンウェルス』に改題。

19、イェニー・マルクスからジークフリート・マイアー[1]**（在ベルリン）へ**（一八六六年二月初め）

『宣言』についてですが、夫［マルクス］は、それを歴史的な文書として、最初に出版されたときとまったく同じ形で再版されることを希望しています。誤植は誰にもわかるので、誰でもそれを訂正できるでしょう。

（1）マイアー、ジークフリート（一八四〇〜一八七二）……ドイツの鉱山技師。国際労働者協会ベルリン支部の設立者の一人。一八六六年に自費で『共産党宣言』を復刊。

20、マルクスからエンゲルスへ（一八六九年四月一五日）

ラファルグ[1]は『共産党宣言（Kommunistischen Manifests）』の自分のフランス語訳を僕に送ってきたが、これは、われわれが手を入れるためのものだ。今日君にこの原稿を郵便で送る。当分、そんなに差し迫った仕事ではない。ラファルグが拙速にやって痛い目に遭うのを僕はちっとも望んでいない。しかし、この本がいずれフランスで出版されることになれば、いくつかの部分、たとえば「ドイツ社会主義ないし真正社会主義」のような箇所は数行に縮めるべきだろう。その部分は同地では興味を引かないからだ。

（1）ラファルグ、ポール（一八四二～一九一一）……フランスの社会主義者で、マルクスの娘ラウラの夫。国際労働者協会で中心的に活動し、フランス支部、スペイン支部などを設立。邦訳として、『怠ける権利』（平凡社ライブラリー、二〇〇八年）がある。

21、エンゲルスからマルクスへ（一八六九年四月一九日）

ラファルグの原稿［『共産党宣言』のフランス語訳］はこちらに到着したが、僕はまだ目を通すことができていない。それより彼はまず試験にかけられるべきだと思う。

22、リープクネヒト[1]（在ライプツィヒ）からマルクスへ（一八六九年六月二九日）

『共産党宣言（*Kommunisitische Manifest*）』をアジテーション向けに［もう少し穏やかなもの

に」改訂してもらわなければならない。「共産主義」という言葉はまだ避けなければならない。けっして敵（Feinde）のことを気にしているのではなく、味方（Freunde）やそうなろうとしている人々のことを考慮して言っている。(2)

（1）リープクネヒト、ヴィルヘルム（一八二五〜一九〇〇）……ドイツの傑出した共産主義者で、ベーベルと並ぶドイツ社会民主労働党（アイゼナッハ派＝マルクス派）の指導者。息子は、ローザ・ルクセンブルクの盟友としてともに虐殺されたカール・リープクネヒト。
（2）英語版全集では「味方やそうなろうとしている人々」が「敵やそうなろうとしている人々」と正反対に訳されている。「Feinde」と「Freunde」の見間違いかと思われる。

23、エンゲルスからマルクスへ（一八六九年七月一日）

その間に、シュヴァイツァー(1)とヴィルヘルム［リープクネヒト］との間でまたしても宣戦布告がなされ、全ドイツ労働者協会の中で反乱が勃発している。しかし、いつもながら、われわれがヴィルヘルムと人民党に味方して当然だと期待されている。ヴィルヘルムは労働者党の態度に関して『宣言』の主張を読むべきだろう。もし読書が何かの役に立つならばだ！

（1）シュヴァイツァー、ヨハン・バプティスト・フォン（一八三四～一八七五）……ドイツの弁護士で著述家。ラサール派の指導者で、ラサール亡き後、全ドイツ労働者協会の会長として君臨。

24、マルクスからエンゲルスへ（一八六九年七月三日）

ヴィルヘルムの実に含蓄ある手紙［Ⅲ―22］を同封する。それを読めば、彼が突如として僕の後見人を自認して、僕が「**しなければならない**」ことをあれこれ指図していることがわかるだろう。

僕は彼らの八月大会に行かなければならず、ドイツの労働者たちに姿を見せなければならず、インターナショナルの会員証をただちに送り返さなければならず……、『共産党宣言（Kommunistische Manifest）』を改訂しなければならない！　ライプツィヒに行かなければならない！

……

『宣言』を書き直すことに関しては、われわれは彼らの大会の決議などを見てから考えることにしよう。

25、マルクスからエンゲルスへ（一八七〇年四月二九日）

最後に、われわれの『共産党宣言』のロ、シ、ア、語、訳を一部君に送る。[1]『ヴェルカー（労働者）』等々で知ったのだが、バクーニンに引き継がれた「コロコル」出版社は「こいつ」も含めるとのことだったので、六部ジュネーブから注文で取りよせた。

（1）「『共産党宣言』のロシア語訳」……バクーニンが訳したとされている一八六九年のロシア語版のこと。

26、マルクスからリープクネヒトへ（一八七一年四月一三日）

『共産党宣言（K Manifest）』はもちろん新しい序文なしに出すことはできない。[1] エンゲルスと私とでどういうものが準備できるか考えておこう。

（1）一八七一年四月初旬、ヴィルヘルム・リープクネヒトはマルクスに宛てて、「僕の方で雑誌に掲載できるように『共産党宣言』に短い序文を書いてはもらえないか（ついでながら僕は裁判中に『共産党宣言』を僕の綱領であると言明しておいた）」と書き、さらに一八七二年四月二〇日付の手紙において改めてエンゲルスに、近いうちに『共産党宣言』を別刷りで出版するつもりであることを知らせ、約束の序文を早く送ってくれるように頼んだ。

27、マルクスからリープクネヒトへ（一八七一年一一月一七日）

われわれはここでインターナショナルの仕事で手いっぱいなので、エンゲルスも僕もこれまで『共産党宣言』の序文を書く時間が見つからない。いずれにせよ、われわれは、『フォルクスシュタート』[1]でボルッタウ氏[2]と論争を開始するために序文を書くのではない。

（1）『フォルクスシュタート』……ドイツ社会民主労働党（アイゼナッハ派）の機関誌。一八六九年から一八七六年までライプツィヒで発行。同誌の編集はリープクネヒトとベーベルの指導下にあった。

（2）ボルッタウ、カール（?～一八七三）……ドイツの医師で政論家、ラサール派で、後にドイツ社会民主労働党に参加。

28、エンゲルスからリープクネヒトへ（一八七一年一二月一五日）

マルクスは『資本論』の第二版にかかっており、私はイタリアやスペインとの通信やその他の雑用で手がふさがっていて、『宣言』の序文にいつ取りかかれるかまだわからない。

29、エンゲルスからリープクネヒトへ（一八七二年二月一五日）

『哲学の貧困』の件はすぐに進むだろう。マルクスは『資本論』のフランス語訳に関する契約に署名した。同書はまもなく分冊で出版される……。何分冊か出版されればすぐに、『哲学の貧困』の番になる。その次が『宣言』だ。それはドイツ語とおそらくはフランス語および英語で出されるだろう（ニューヨークでは英語雑誌とフランス語雑誌にすでに掲載されている）。見られるように、仕事は順調に進んでいる。しかし、これらはみなたいへんな労力がかかっているんだ。

30、エンゲルスからゾルゲ[1]（在アメリカ・ニュージャージー州）へ（一八七二年三月一七日）

よければ、『共産党宣言』の英訳が掲載されている『ウッドハル&クラフリンズ』の号を五〇部と、フランス語訳の載っている『ソシアリスト』の号を五〇〜一〇〇部を購入して私に送ってくれないか。いくらかかったかわかりしだいその代金をこちらから送る。十分な部数が手に入らない場合には、入手できた分だけ送ってもらえれば大丈夫だ。どちらの翻訳にもあれこれ注文を付けたい箇所があるとしても、さしあたりプロパガンダ用にこれらを利用せざるをえない。とりわけ、フランス語訳はヨーロッパのラテン系諸国向けにどうしても必要なものだ。それは、バクーニンによって流布されているガラクタや、そこにのさばっているプルードン主義者たちのたわごとに対抗するためのものだ。

時間ができしだい、マルクスと私は、序文を付した『宣言』新版、等々を準備するつもりだが、今のところ仕事ですっかり手がふさがっている。目下、私はスペインとイタリアに加えてポルトガルとデンマークの書記もやらなければならない。マルクスは『資本論』第二版や今きているさまざまな外国語訳などで、やるべき仕事が山ほどある。

（1）ゾルゲ、フリードリヒ（一八二八〜一九〇六）……マルクス、エンゲルスの親友にして同志。

一八四九年のバーデン・プファルツ反乱に参加。一八五二年にアメリカに移住。

31、エンゲルスからリープクネヒトへ（一八七二年四月二三日）

『宣言』の序文を手品師のように袖口からさっと取り出して送ることなんてできない。[1] 第Ⅲ章を現在の状況に合わせて補足するためには、この二四年間の社会主義文献を研究することが必要だ。だから、このことは後の版のためにとっておかざるをえない。しかし、独立した版のための短い「序文」は送るつもりでいる。とりあえずはこれで十分だろう。

（1）リープクネヒトは一八七二年四月二〇日付の手紙の中で、『フォルクスシュタート』誌の編集部が『共産党宣言』を独立したパンフとして出版するつもりがあることを改めて伝え、その版のための序文を再度リクエストした。

32、エンゲルスからリープクネヒトへ（一八七二年五月一五日）

『宣言』の序文についてはできるだけ早く取り組みたいと思っている。マルクスは［『資本論』の」フランス語訳という法外な仕事を抱えている。とくに冒頭の部分は訂正するところがたくさんある。さらに彼はドイツ語第二版の校正をしなければならない。

……

『宣言』の序文についてどうしたらいいか現在考えているところだ。

33、エンゲルスからリープクネヒトへ（一八七二年六月五～六日）

短い序文付きの『宣言』の校正刷りはできるだけ早く発送する。[1] できれば明日にも。

（1）実際に書かれた新版序文の日付は六月二四日なので、この時点では「序文付きの『宣言』の校正刷り」は発送されなかったと思われる。おそらく発送されたのは本文の校正刷りだけだったのだろう。

34、エンゲルスからゾルゲへ（一八七二年一一月二日）

ちょうど今、『宣言』のフランス語訳を改訂しているところだ。君が持参してくれた手書き

のものは、『ウッドハル［&クラフリンズ・ウィークリー］』の訳の出来がよいかぎりで、おおむねまったく結構だ。(1)

(1) ゾルゲは、『共産党宣言』のフランス語訳を書き写したものを国際労働者協会のハーグ大会に持ってきてエンゲルスに手渡した。このフランス語訳は、『ウッドハル&クラフリンズ・ウィークリー』に掲載された英訳にもとづいていた。

35、エンゲルスからゾルゲへ（一八七二年一一月一六日）

僕は仕事にすっかり埋もれている。メサ(1)が『宣言』の［スペイン語への］翻訳を開始したということで、僕は『ソシアリスト』掲載のフランス語訳の修正版を彼に送ることになった。(2)その点で、君の持ってきてくれた原稿の写しが大いに役立った。依然として『ウッドハル』掲載の英訳にもとづいているとはいえ、こちらの出来の方がずっといいからだ。僕としては、このせっかくの機会に、フランス語訳を全体としていいものにしようと思う。

(1) メサ・イ・レオンパルト、ホセ（一八四〇〜一九〇四）……スペインの印刷工。国際労働者協会スペイン支部の組織者の一人、『エマンシパシオン』の編集者で無政府主義と積極的に闘った。一八七九年におけるスペイン社会主義労働党の創立者の一人。

（2）『共産党宣言』および一八七二年刊ドイツ語版への『序文』がホセ・メサの手でスペイン語に翻訳され、一八七二年の『エマンシパシオン』に掲載された。『ル・ソシアリスト』所載のフランス語訳にしたがって翻訳を終えていたメサは、それを校閲してもらうためエンゲルスに送付した。エンゲルスは部分的に目を通して訂正をおこなった。

36、エンゲルスからリープクネヒトへ（一八七三年二月一二日）

もう一つ、君に言っておかなければならないことがある。僕たちが「党」から受ける扱いは、僕たちの書くものを党にもっと送ろうという気をちっとも起こさせないものだ。僕の『［ドイツ］農民戦争』はただの一部も送られてこなかった。自分が必要とする部数を自分で購入しなければならなかった。住宅不足に関する論説［『住宅問題』］の出版についても、ばらばらに出すかまとめて出すか相談されることさえなかった。謹呈用の『宣言』を僕たちの分とここ［イギリス］の労働者協会の分として――同協会が自己負担で『宣言』を三度も刊行してくれたことに感謝して――頼んだ時には、一〇〇部を送ってきたのだが、何と請求書付きだった。このことについてはヘプナー[1]にも手紙を書いたが、このような不作法な扱いは金輪際やめてもらいたい。

(1) ヘプナー、アドルフ(一八四六〜一九二三)……ドイツの編集者で社会民主労働党員。一八六九年から党機関誌『フォルクスシュタート』の編集員。一八七二年のライプツィヒ大逆罪裁判における被告の一人。一八七八年にアメリカに移住。ここで言うヘプナーへの手紙は、一八七二年一二月三〇日付のもので、その中でエンゲルスは「数部の『宣言』の代わりに一通の請求書が送られてきた」と書いている(邦訳『マルクス・エンゲルス全集』第三三巻、四四八頁)。

37、エンゲルスからベーベル[1](在ライプツィヒ)へ(一八七五年三月一八、二八日)

自由な人民国家が自由な国家に変えられている。文法的に言えば、自由な国家とは、国家が自国の市民に対して自由である国家、つまり専制政府を戴いた国家のことだ。国家に関するこうしたいっさいのおしゃべりはもうやめるべきだろう。すでに本来の意味での国家ではなかったコミューン以降はなおさらそうだ。プルードンを批判したマルクスの著作[『哲学の貧困』]やその後の『共産党宣言』がすでに、社会主義的な社会秩序が導入されていくにつれて国家はおのずと解体し消滅するとはっきり語っているにもかかわらず、われわれは人民国家のことで、無政府主義者からいやというほど攻撃されてきた。そもそも国家は、闘争において、革命において、敵を力ずく（ゲバルトザム）で抑えつけておくために用いられる一時的な機関にすぎないのだから、自由な人民国家について語るのは、まったくのナンセンスだ。プロレタリアートがまだ国家を必要とするかぎりでは、それを自由のためにではなく、敵を抑えつけるために必要とするのであって、自由について語ることができるようになるやいなや、国家としての国家は存在しなくなる。それゆえわれわれは、一般に国家の代わりに共同社会（*Gemeinwesen*）という言葉を使うよう提起したい。この言葉は、フランス語の「コミューン」に非常によく似た古きよきドイツ語だ。

（1）ベーベル、アウグスト（一八四〇～一九一三）……ドイツの旋盤工で、ドイツ労働運動と社会主義運動の最も傑出した指導者の一人。リープクネヒトとともにドイツ社会民主労働党におけるマルクス派の指導者。トロツキーはベーベルのことを「待機と準備」の時代におけるドイツ労働者階級の「最良の人物」と評価している（トロツキー『レーニン』光文社古典新訳文庫、二〇〇七年、二九三～二九四頁）。

38、ゾルゲからマルクスへ（一八七六年三月一七日）

運動は日ごとに強化されている。もちろん、立場のはっきりしない連中がまだたくさんいるが、重要なのは、英語を話す連中の中に何冊かの煽動的な文献を広めることで、彼らのあいだにわが党の道を開いて、基盤を準備することだ。ヴァイデマイアーの古い友人で、残念ながら早くに亡くなったヘルマン・マイアー[1]とこの件で話をつけて、この春に当地で『共産党宣言』を英語で出版する準備をしていた。彼（マイアー）が亡くなったため、この計画は頓挫することになった。そこで今度は君たちの助けが必要なんだ。君たちのところにマイアーの『宣言』訳があるだろう（一八七二年に僕が君たちのところに届けた）。それに目を通し、約束の付録を付けて、すぐに僕のところに送ってくれたまえ。そしたら僕がこっちで至急出版して普及する——できることでいいからしてくれたまえ、ただし急いで！

（1）マイアー、ヘルマン（一八二一〜一八七五）……ドイツの社会主義者。一八四八年のドイツ革命に参加、一八五二年にアメリカに亡命。マイアーが訳したという英訳の『共産党宣言』はその後、エンゲルスから「使いものにならない」と判断された（Ⅲ—50）。

39、マルクスからゾルゲへ（一八七六年四月四日）

『共産党宣言（Kommunistische Manifest）』［の英訳のチェック］には取りかかるつもりだ。しかし、付録に関しては、まだ機が熟していない。

40、マルクスからゾルゲへ（一八七七年九月二七日）

『共産党宣言（Kommunistische Manifest）』［の英訳］は僕が直接エンゲルスといっしょに校訂してから、君に届けよう。

41、マルクスからゾルゲへ（一八七七年一〇月一九日）

現在のところ、エンゲルスはさまざまな仕事に時間をとられている。第一に『フォアヴェルツ』[1]の仕事、第二に、ドイツから俗物の訪問客が押し寄せてきていること、第三に彼自身が「インフルエンザ」にかかったこと、第四に彼の妻の病気。こういうわけで、今日までわれわれは『宣言』に共同で取りかかることができなかった。

（1）『フォアヴェルツ』……ドイツ社会主義労働党の中央機関紙で一八七六年から一八七八年まで週三回発行。社会主義者取締法のせいで停刊。

42、マルクスからゾルゲへ（一八七九年九月一九日）

『共産党宣言』についてだが、これまでのところ事態はまったく進んでいない。エンゲルスにまったく時間がなかったり、僕にまったく時間がなかったりしたからだ。だがいずれ急いでやらなければならないだろう。

43、エンゲルスからベッカーへ（一八七九年一二月一九日）

昨日、僕はベーベルに手紙を書き、われわれはもう『ゾツィアルデモクラート』[1]に寄稿できないと書いた。ヘーヒベルク[2]のその後の手紙からはっきりしたのは、彼が『［社会科学・社会政策］年報』で表明した［改良主義的］見解を『ゾツィアルデモクラート』の中でも当然のこととして主張しつづけるつもりだということだ。……われわれは『宣言』以来、（それどころかマルクスのプルードン批判の著作［『哲学の貧困』］以来）このような小ブルジョア社会主義と絶えず闘ってきたのだから、社会主義者取締法を口実にして小ブルジョア社会主義が再び旗を掲げようとしているときに、それといっしょにやっていくことなどできはしない。

（1）『ゾツィアルデモクラート』……ドイツ社会民主党の中央機関紙。一八七九年創刊。

（2）ヘーヒベルク、カール（一八五三～一八八五）……ドイツの著述家、出版業者。ドイツ社会民主労働党の中で改良主義的潮流を代表。

44、マルクスからゾルゲへ（一八八一年六月二〇日）

君からヘンリー・ジョージの本[1]を一冊もらう前に、すでに二冊もらっていた。……それで一部をエンゲルスに、もう一部をラファルグにやった。そこで今日のところは、この本に関する僕の評価をごく短く定式化するにとどめておきたい。この男は理論的にまったくの周回遅れだ。彼は剰余価値の性質をまったく理解しておらず、それゆえ、イギリス人のやり方にならって、だがイギリス人よりもずっと遅れて、剰余価値の自立化された一部分——利潤や地代や利子——に関する思弁の中をさまよっている。彼の基本ドグマは、地代が国家に支払われさえすれば、万事うまくいくというものだ（この種の支払いについては、『共産党宣言』における過渡的諸方策の中でも挙げられている)[2]。こうした見解はもともとブルジョア経済学者のもので、それを最初に唱えたのは(一八世紀における類似の要求を別とすれば)、リカードの初期の急進的な弟子たちで、リカードの死の直後に唱えたものだ。……

われわれ自身は、すでに述べたように、国家によるこの地代の取得を、その他多くの過渡的方策の一つとして取り上げた。これらの方策は、同じく『宣言』の中で述べられているように[3]、それ自体矛盾に満ちているし、またそうでしかありえない。

(1) ヘンリー・ジョージ『進歩と貧困』、ニューヨーク、一八八〇年。
(2)「土地所有を収奪し、地代を国家の費用に充当すること」(本書、八七頁)。
(3)「経済的には不十分で持続不可能に見える諸方策にもとづくことなしには起こりえない。しかし、それらは運動が展開する中で自己自身を超えていくのであり、全生産様式を転覆する手段として不可避なものなのである」(本書、八七頁)。

45、マルクスからラヴロフ[1](在パリ)へ(一八八二年一月二三日)

『共産党宣言』ロシア語版のための短い文章[ロシア語版序文]を同封します。これはロシア語に翻訳されるべきものですから、ドイツの母国語で出版される場合には必要となるような文体上の推敲は行なわれていません。

（1）ラヴロフ、ピョートル・ラヴロヴィチ（一八二三～一九〇〇）……ナロードニキの社会学者で哲学者。国際労働者協会メンバーで、一八七〇年にパリに亡命。マルクスやエンゲルスと頻繁に文通をし、ロシア語版『共産党宣言』（一八八二年版）のマルクスとエンゲルスの序文はラヴロフの仲介で実現した。

46、エンゲルスからベルンシュタイン[1]**（在チューリヒ）へ**（一八八二年一月二五日）

恐慌が政治革命の最も強力な推進力の一つだということは、すでに『共産党宣言』に見られ、『新ライン新聞』の『［政治・経済］評論』の中では一八四八年まで含めて詳しく論じられている。しかしそれと並んで、その後の繁栄の回復は革命をも挫折させ、反動が勝利する基礎となる、ということも述べられている。

（1）ベルンシュタイン、エドゥアルト（一八五〇～一九三二）……ドイツの社会民主主義者。当初、ヘーヒベルクの秘書として、その改良主義的影響を受けていたが、ベーベルに連れられて、エンゲルス、マルクスと直接会って以降、両名に信用されるようになった。しかし、エンゲルスの死後、党内の修正主義的潮流の指導者となる。

47、エンゲルスからラヴロフ（在ロンドン）へ（一八八二年四月一〇日）

校正刷り［ロシア語版『共産党宣言』序文］をお返しします。お礼申し上げます。もし私が、あなたに昨晩お会いして「キリストは復活しましたか」［ロシアの復活祭のあいさつのもじり］と言おうと思っていなかったなら、もっと早くお返しすることができたのですが。よろしければ、数日間、序文のドイツ語原稿を貸していただけないでしょうか？『ゾツィアルデモクラート』からそれを送ってほしいと頼まれたのです。それ［のロシア語訳］はすでに『ナロードナヤ・ヴォーリヤ（人民の意志）[1]』に掲載されているので（われわれがこの新聞の寄稿者となったことを誇りに思います）、とくに支障ないかと存じます。

（1）『ナロードナヤ・ヴォーリヤ』……革命的ナロードニキの「人民の意志」派の非合法新聞で、一八七九年から一八八五年まで発行。その一八八二年二月の号にマルクス、エンゲルスのロシア語版序文が初めて発表された。

48、エンゲルスからベルンシュタインへ（一八八二年四月一七日）

ラヴロフから、［『共産党宣言』一八八二年ロシア語版の］序文が『ナロードナヤ・ヴォーリャ』に掲載されたという話を聞いたとき、すぐに［ドイツ語］原本の写しを送ってくれるよう彼に頼んだのだが、それはパリにおける彼のデスクに置き忘れたままだった。しかし、彼は書き写すつもりだったようだ。その後、マルクスのところで［ドイツ語の］手稿を探したのだが、徒労に終わった。結局、ラヴロフからロシア語訳を一部送ってもらうことにした。最悪の場合、自分でドイツ語に訳し戻すためだ。僕が恐れていたのは、どこかの見知らぬロシア人がこれをやる［ロシア語からドイツ語に訳しなおす］ことだったが、実際そうなってしまった(1)。ちょうど今日、ラヴロフから［ドイツ語］原本の写し(2)が送られてきたので、同封しておく。

（1）『ゾツィアルデモクラート』の一八八二年四月一三日号にこのロシア語訳をドイツ語に訳しなおしたものが掲載された。
（2）このドイツ語原本の写しはその後再び行方不明になり、エンゲルスは、一八九〇年ドイツ語版序文（Ⅱ―5）ではロシア語からドイツ語に訳しなおさざるをえなくなった。最終的にドイツ語原稿は見つかっている。

49、エンゲルスからベルンシュタインへ（一八八二年四月二一日）

「序文」［『共産党宣言』一八八二年ロシア語版への序文］の［ドイツ語］原稿もついでの時でいいから返送してくださるようお願いする。

50、エンゲルスからゾルゲへ（一八八二年六月二〇日）

われわれのところに送られてきた『宣言』の英訳は、全面的に修正しないかぎりまったく出版できない代物だ。[1] だが、わかってくれると思うが、現在の状況のもとではそんなこと［全面的な修正］はとうてい考えられない。

（1）以前からゾルゲは『共産党宣言』の英語版を刊行しようと考えていたので、マルクスとエンゲルスに、ヘルマン・マイアーの英訳文を送って、それを校訂し、序文といっしょに返送してくれるように依頼していた（Ⅲ―38）。

51、エンゲルスからヘプナー（在ニューヨーク）へ（一八八二年七月二五日）

私の返事が遅れたのは、マルクスが病気で頻繁に転地しなければならなかったからだ。最近になってようやく仕事に関して彼と手紙のやり取りをすることができるようになった。そこで、あなたの企画している事業に関するわれわれの意見は以下のようなものだ。

法律上、あなたは同地［アメリカ］にて、ヨーロッパで出版されたあらゆるものを再版する完全な権限を有しているようだから、われわれの意見では、とくに誰かに許可を求めることなくその権利を行使するのがいちばんいいのではないか。『共産党宣言』を再版したいと思うなら、われわれは何らそれに反対することはできないし、また、同書に対して変更や省略がなされるのでないかぎり――いずれにせよ歴史的な文書では許されないことだが――、あるいは何か不適切な注がそこに付けられるのでないかぎり、われわれが抗議するような事態も起こらないだろう。序文を書くことは、われわれがいっしょにいないという理由からしてもすでにできないことだが、さらにそれ以上に、そんなことをすれば、われわれが監督したり管理したりすることができないような事業、それどころかわれわれがそうすることを望んでいない事業に対して連帯責任を負うことになる。[1]

（1）アメリカ合衆国に移住したアドルフ・ヘプナーは、一八八二年五月三日付のエンゲルス宛ての手紙の中で、マルクスとエンゲルスの著作を「労働者文庫」に入れて再版することの許可を求めた。

52、エンゲルスからラヴロフへ（一八八二年七月三一日）

ロシア語の『宣言』を送っていただいたことに対して、もっと早くお礼を述べるべきところなのですが、あなたに手紙を書くとなればマルクスの近況を伝えないわけにはいきません。しかしマルクスから、自分がアルジャントゥイユ［パリの北西、セーヌ川右岸にある都市］にいることを、パリにいる誰にも話さないようはっきりと言われていたのです。[1]

（1）一八八二年六月二一日付マルクスからエンゲルスへの手紙を参照。「ラヴロフには――僕はまだ当分はあまり長い面談はいっさい避けなければならないので――まだ僕の滞在を知らせるべき時ではない。彼こそは僕に何時間もしゃべらせる男にちがいないからだ」（邦訳『マルクス・エンゲルス全集』第三五巻、六〇頁)。

53、エンゲルスからマルクスへ（一八八三年一月九日）

次にヘプナーの件。この若いユダヤ人が（明らかに同僚のヨーナス［アメリカの書籍商］に迫られて）、『宣言』の序文のことでわれわれにピストルを突きつけていることに対して、[1]どう対処したらいいと思う？　僕の意見では、こんな傲慢な手紙にはまったく返事しないか、せいぜい、ライプツィヒ版の序文［Ⅱ―1］を参照するよう指示するべきだろう。もしそれで十分でないと彼が思うなら、『宣言』を出版しなければいいだけだ。

（1）ヘプナーは一八八二年一二月一四日付の手紙の中で、エンゲルスに、「労働者文庫」のために『共産党宣言』への新しい序文を送ってもらいたいと改めて懇請した。

54、マルクスからエンゲルスへ（一八八三年一月一〇日）

「ヘプナー坊や」について言えば、僕の考えでは、彼を「事務的に」扱うのがいいと思う。

われわれのライプツィヒ版序文を転載するのは彼の自由だし、ロシア人たちが新しい訳を昨年出版したという話もしてやればいい。もし彼が、われわれの独自の新しい序文がなければ『宣言』を再刊する価値がないと考えるのなら、それでもやはり再刊するなり中止するなり、自分が適切だと思うことをやればよい。「ピストルを突きつける」というやり方は、「われわれの側の人間」にありがちなものだ。だから、ヘプナー坊やに関しては、ごく当然のものとして受け入れなければならない！

2 マルクス死後の手紙

55、エンゲルスからラウラ・ラファルグへ（一八八三年四月一一日）

ジャンドル夫人[1]が『宣言』をフランス語に翻訳して、僕にその翻訳を校閲させるというのであれば（ご存知のように、これはささっとできることではない）、歴史的状況などについて説明したしかるべき序文を書こうと思う。しかし、僕はこのご婦人についてほとんど何も知らないので、現時点では校閲も序文も断らざるをえない。しかし、彼女がその方向に向かって動き出したとしても、僕にはそれをやめさせる権利はない。

（1）ジャンドル夫人……ヴァルヴァラ・ニコラエヴナ・ニキーチナ（一八四二～一八八四）。ロシアの女性評論家。一八七〇年代末以降はイタリア、後にフランスに在住。

56、エンゲルスからヴァン・パッテン[1]（在ニューヨーク）へ（一八八三年四月一八日）

カール・マルクスが一般に無政府主義者に対して、特殊にヨハン・モスト[2]に対してどのような態度を取ったのかに関する四月二日付のあなたの質問に対する私の答えは、簡単明瞭です。

マルクスと私は、すでに一八四五年以来、将来のプロレタリア革命の最終結果の一つは、国家と呼ばれる政治組織がしだいに解体していき、最終的に消滅することだという見解を持っていました。この政治組織の主たる目的は常に、富裕な少数者に対する労働する多数者の経済的従属を、武力（armed force）でもって保障することでした。富裕な少数者たちが消滅するとともに、武装した抑圧的な国家強制力（State-force）の必要も消滅します。しかしそれと同時に、われわれは次のような見解を常に持っていました。この目的を達成するために、また、将来の社会革命のより重要な他の諸目的を達成するためにも、プロレタリア階級はまずもって国家という組織された政治的強制力（organised political force）をわがものとし、その助けをかりて資本家階級の抵抗を粉砕し、社会を新しく組織しなければならない、と。このことはすでに、一八四七年の『共産党宣言（Communist Manifesto）』のII章の終わりの方に書いてあります[3]。

無政府主義者は物事をひっくり返します。プロレタリア革命は国家という政治組織を廃止することから始めなければならない、と彼らは言います。しかし、プロレタリアートの勝利の後に、勝利した労働者階級がその使用のために見出す出来合いの唯一の組織が、まさに国家なのです。この国家はその新たな機能に適応させられなければならないでしょうが、この時点でそれを破壊することは、勝利した労働者階級が新たに奪取した権力を行使し、その資本主義的敵対者を抑えつけ、社会の経済的変革を遂行することができる唯一の機構を破壊することになるでしょう。この経済的変革なしには、勝利全体が敗北へと至り、パリ・コミューン後に見られたような労働者階級の大量虐殺に終わらざるをえないのです。（原文は英語）

（1）ヴァン・パッテン、フィリップ（一八五二〜一九一八）……アメリカの社会主義者で、一八七〇年代から一八八〇年代前半にかけて、労働運動や政治活動で活躍。ヴァン・パッテンは、一八八三年四月二日エンゲルスに宛てて手紙を書き、ヨハン・モストとその友人たちの無政府主義者がマルクスの追憶にさいして、モストらが『資本論』をドイツで大衆化し、マルクスもそれに同意したと宣伝しているので、社会民主主義と無政府主義との関係について教えてほしいと質問した。

（2）モスト、ヨハン（一八四六〜一九〇六）……ドイツの製本工で、社会民主主義者から無政府主義者に。一八七九年以降、『フライハイト』の編集者。一八八二年にアメリカ合衆国に移住し、同地で無政府主義の宣伝をつづけた。マルクスの晩年に、『資本論』を通俗的に説明した『資本と労働』を執筆するも、その内容が不正確だったので、マルクスが全面的に介入して第二版を作成した。翻訳は、『資本論入門』岩波書店、一九八六年。
（3）以下の箇所を指す――「本来の意味での政治権力とは、他の階級を抑圧するための一階級の組織された強制力に他ならない。プロレタリアートは、ブルジョアジーに対する闘争の中で不可避的に階級へと団結し、革命を通じて自ら支配階級になり、支配階級として古い生産諸関係を力ずくで廃棄する」（本書、九〇頁）。なお、ここでは、『共産党宣言』は「一八四七年」とされているが、同書が書かれたのが一八四七年一二月から一八四八年一月にかけてのことなので、このような表現になっているのだろう。

57、エンゲルスからベーベルへ（一八八三年四月三〇日）

リープクネヒトはマルクスの著作の全集を出す件について話していた。まったく結構なことだが、［『資本論』］第二巻(1)に関するディーツ社の企画の時もそうだったが、みんな次のことを忘れている。つまり、この第二巻はずっと前にマイスナーと交渉になっており、他のより小さな作品を出版する場合にもやはりまずマイスナーに提案しなければならないということ、さらには外国でしか出版できないということだ。社会主義者取締法の以前からすでに、『共産党宣言』でさえ、ドイツ国内では出版できないだろうといつも言われていたものだ！　君たちの裁判で読みあげられた記録文書を別にすればだが。

（1）『資本論』第二巻……ここで言う「第二巻」は『資本論』の第二部と第三部を包括する巻のこと。

58、エンゲルスからベルンシュタインへ（一八八三年六月一二日）

『共産党宣言（Kommunistischen Manifests）』の最後の部分の原初稿(1)を一枚同封した。よければ遺品としてとっておいてほしい。最初の二行は口述筆記された部分で、マルクス夫人によって書かれたものだ。

（1）邦訳『マルクス・エンゲルス全集』第四巻、六二七〜六二八頁。

59、エンゲルスからゾルゲへ（一八八三年六月二九日）

マルクスが君に送ったヘンリー・ジョージ批判(1)は実際まったくの傑作で、文体においても非の打ちどころのないものだから、マルクスが自用本に英語で書き込んだ散発的な評注を入れたら、むしろマイナスになるのではないか。この評注は後日必要になるときが来るまでそのままにしておけばいい。……その手紙を英語で公表するつもりなら、僕が翻訳してやってもよい。というのも、『宣言』の［英語への］翻訳が改めて示したように、われわれのドイツ語を少なくとも文章的に読みやすく、文法的に正しい英語に訳せる人物がそちらにはいないようだからだ。そのためには両方の言葉に文筆家として熟達している必要があるが、それだけでなく、［無味乾燥な］新聞口調に熟達しているだけではだめだ。『宣言』を翻訳することはおそろしく難しい。僕が見たなかではロシア語訳［プレハーノフが翻訳したもの］がずば抜けてすぐれていた。

（1）マルクスのヘンリー・ジョージ批判……一八八一年六月二〇日付、マルクスのゾルゲ宛ての手紙。邦訳『マルクス・エンゲルス全集』第三五巻、一六四〜一六七頁。Ⅲ―44はその一部。

60、エンゲルスからベルンシュタインへ（一八八三年一一月一三日）

プレハーノフの小冊子[1]はまだ私のところに送られて来ていない。送られて来たのは『宣言』

と『資本と賃労働』[2]だけだ。私は後者から、ドイツ語版が出版されていたことを知ったが、誰もそれを私やマルクスの遺族に送る労を取ってくれていないのはどうしてか？『宣言』（ドイツ語版）の新しい版［一八八三年ドイツ語版］もやはりまだ受け取っていない。『［空想から科学への社会主義の］発展』の第三版も同様だ。

（1）プレハーノフの小冊子……プレハーノフが一八八三年に出した『社会主義と政治闘争』のことで、プレハーノフがマルクス主義者として書いた最初の著作。邦訳は、プレハーノフ『社会主義と政治闘争』国民文庫、一九七三年。

（2）『宣言』と『資本と賃労働』……一八八二年に出版されたプレハーノフ訳の『共産党宣言』ロシア語第二版と、一八八三年の秋にジュネーブで出版されたマルクスの『賃労働と資本』ロシア語版のこと。後者の扉には「一八八〇年のドイツ語版（ブレスラウ）から翻訳」と記されていた。

61、エンゲルスからベルンシュタインへ（一八八四年一月一日）

『宣言』の［一八七二年版］序文の中で『フランスにおける内乱』から引用されている箇所[1]

の件で以前にあなたから出されていた質問について言えば、元の著作（『内乱』一九頁以下）で与えられている回答を見れば、間違いなくあなたも納得したと言うことだろう。そちらに一冊もない場合のために、一部送っておく。そこで問題になっているのは単純に次のことを示すことだ。すなわち、勝利したプロレタリアートは、旧来の官僚的で行政的に中央集権化された国家権力をまずもってつくり変えてからでなければ、それを自分自身の目的のために利用することはできないということだ。一八四八年以来のすべてのブルジョア共和派は、野党だったときにはこの機構をこき下ろしていたにもかかわらず、いったん自分たちが政権の座に就くやいなや、その機構をそのまま引き継いでそれを用いた。時には反動派に対して、だがはるかに頻繁にプロレタリアートに対してである。コミューンの無意識的な傾向が、『内乱』の中では多少とも意識的な計画としてコミューンの功績にされているのは、当時の事情のもとでは正当だったし、必要でさえあった。ロシア人はまったく適切にも彼らの『宣言』の翻訳に『内乱』のこの一節を付録として収録した。当時、あんなに急いで発行する必要がなかったなら、こちらでも同じことをやることができたろう。

（1）「とりわけパリ・コミューンは以下のことを示した。『労働者階級は出来合いの国家機構をそのまま掌握して自分自身の目的に用いることはできない』」（本書、一二一～一二二頁）。

62、エンゲルスからベルンシュタインへ（一八八四年一月二八日）

フォン・デル・マルク氏[1]であれ他の誰であれ、われわれの側が無政府主義者に「譲歩した」などと今後も言うようであれば、無政府主義者などそもそも存在していなかったときから、われわれが国家の停止[2]について公言していたことを次の箇所が証明してくれるだろう。まず『哲学の貧困』の一七七頁。

「労働者階級は、その発展の過程において、旧来の市民社会を、諸階級とその敵対性を排除する協同社会（アソシエーション）で置きかえるだろう。そこでは、本来の意味での政治権力はもはや存在しないだろう。なぜなら政治権力とは市民社会における敵対性の公的総括だからである」[3]。

『宣言』、第Ⅱ章の締めくくり。

「事態の発展の中で階級差別がしだいに消滅……するなら、公的権力は政治的性格を失うだろう。本来の意味での政治権力とは、他の階級を抑圧するための一階級の組織された強制力に他ならない[4]」。

（1）フォン・デル・マルク……ローゼンベルク、ヴィルヘルム・ルートヴィヒ（一八五〇～？）

の筆名。ドイツ出身のアメリカのジャーナリスト、社会主義者。
（2）「国家の停止（Aufhören）」……「国家の解消（Auflösen）」の書き間違いと思われる。
（3）邦訳『マルクス・エンゲルス全集』第四巻、一九〇頁。
（4）本書、九一頁。

63、エンゲルスからラヴロフへ（一八八四年一月二八日）

ジュネーブで出たロシア語の出版物──『宣言』その他──は私を大いに喜ばせました。

64、エンゲルスからリープクネヒトへ（一八八五年二月四日）

党内の小ブルジョア分子がますます優位になりつつある。マルクスの名前はできるだけ出さないようにされている。こういうことがこのまま進めば党内で分裂が起こるだろう。君もそう予測していると思う。君はいっさいを、あの小市民たちが面子をつぶされたことのせいにしている。しかしそういうことが必要な時があるのだ。さもないと、彼らはどこまでもつけ上がるだろう。［『共産党宣言』における」「ドイツ社会主義ないし真正社会主義」に関する節が四〇年後になって再び妥当するようになっているのではないか？

65、エンゲルスからマルティネッティへ（一八八五年六月一三日）

一八四七年の『共産党宣言（Manifests der Kommunistischen Partei）』（マルクスとエンゲルスによる）［一八八三年ドイツ語版］も一冊お送りします。古いものであるとはいえ、依然として読む価値があると私は思っています。

66、エンゲルスからベッカー[1]へ（一八八五年六月一五日）

ドイツ党内でのもめごとは私にとってとくに驚くべきものではなかった。ドイツのような小市民国では、党が「教養ある」小市民的右翼を持つことになるのは避けられない。決定的な瞬間になれば、党はこれらの連中を振り落とすことだろう。小市民的社会主義はドイツでは一八四四年から始まっており、すでに『共産党宣言』の中で批判されている。それは、ドイツの小市民自身と同じように不滅だ。社会主義者取締法が存続しているかぎりは、われわれのほうから分裂を挑発することには賛成しない。武器が対等ではないからだ。しかしながら、あの紳士たちが、党のプロレタリア的性格を抑え込み、無力で無内容な感傷的博愛主義でもって置き換えようとすることで、彼らの方から分裂を引き起こすというのなら、われわれはその事態を受け入れなければならない。

（1）「ドイツ党内でのもめごと」……汽船補助金問題でドイツ社会民主党の国会議員団の日和見主義派と中央機関紙の『ゾツィアルデモクラート』とが対立したこと。

67、エンゲルスからラウラ・ラファルグへ（一八八五年九月二二日）

僕はゲラの校正、修正、序文の執筆、等々ですっかり手いっぱいになっているので、今のところまだ、あなたの［フランス語の］『宣言』訳を本格的に検討する時間がない。最も差し迫った仕事を片付けたらすぐに（今週末にはと思っている）、それに取りかかろう。そうすれば、こっちでこの件についてあなたと議論することができるだろう。それにしても、あなたがついに自分の灯火から升を取り去って、[1]いくつかのすぐれた作品をフランス語に訳す手伝いをしてくれているのは喜ばしいかぎりだ。わが方の生粋のフランス人たちはどうやらドイツ語があまり理解できないようだから。

（1）「灯火をともして升の下に置く者はいない（自分の才能を隠す必要はない）」という意味の聖書の言葉から。

68、エンゲルスからラウラ・ラファルグへ（一八八五年一〇月一三日）

［ラウラが訳したフランス語の］『宣言』の最初の一〇枚をこの便で返送する。僕が途中でやめざるをえなかったのは、第一にもう五時だし、第二に、かなりの分量の欠落箇所があって、それを埋めることができないからだ。ポール［・ラファルグ］が、足りない部分をすぐに送ってくれるだろう。可能であれば、その日のうちに返送できると思う。というのも、それにはあまり時間がかからないことがわかったからだ。本当のところを言うと、『宣言』の翻訳を見ると僕はいつも少しぞっとする。この最も翻訳しにくい文書をめぐって、さんざん苦労した挙句、結局無駄に終わったことが思い起こされるからだ。しかし、あなたは要点をきちんと捉えている。ただ二箇所だけ、少し注意が散漫になったせいか、正確な意味を捉えそこなっているところがある。それ以外の点では立派な出来栄えであり、この小冊子はフランス語としては初めて、われわれが誇れるような形で、また原著の内容が読者に正しく伝わる形で出版されることにな

るだろう。終わりに近づくにつれて、あなたの翻訳の腕前はなおいっそう完全なものになっていくだろう。そしてますます、単に翻訳するのではなくて、別の言語で内容を再現するものになっていくだろう。なので、僕の注意書きを——意味が問題になっているのではない場合だが——あくまでも単なる一つの示唆と受け取って、その価値については自分で判断してほしい。

69、エンゲルスからベーベルへ（一八八五年一〇月二八日）

ついにラファルグ夫人［ラウラ・ラファルグ］が現在、『宣言』を立派なフランス語に翻訳しているところだ。理論の理解となると、指導者クラスでさえいまだにかなり不十分だ。もし君がパリのことを知っているなら、そこでは生活したり煽動したりするのは容易だが、その地で何らかの本格的な仕事をするのは難しいということがわかるだろう。そんな状況なのだから、いったいどうやってフランス労働者は洞察力を身に着けるというのか？

70、エンゲルスからラウラ・ラファルグへ（一八八五年一一月七日）

僕としては、［フランス語版］『宣言』に短い序文を書くことに何の異論もない。だが、そうすることができるためには、旧序文［一八七二年ドイツ語版序文］のどの箇所が、あなたのパリ公衆の敏感な耳に不快に響くのかを知らなければならない。正直言って、コミューンに関するところぐらいしか思いつかない。しかし、その箇所は、モール［マルクス］自身によって挿入されたもので、彼はとくにその点にこだわっていた。私の意見では、わがパリの友人たちはこの種の敏感さにあまりにも譲歩しすぎている。むしろそのようなものはできるだけ抑え込まなければならないはずなのに。とはいえ、和を乱さぬよう、できるだけ彼らの気に入る努力をするとしよう。ただし、歴史を偽ったり、あるいは、あらゆる光はパリから来たるというような信念を助長することなしにだ。私の考えるところでは、『宣言』がどのようにしてできたのかについて語ることなしには、どの言語であれ『宣言』を出版することなどできない。なぜなら、その部分がないと、第Ⅱ章の結論部、および第Ⅲ章と第Ⅳ章の全体が理解できなくなるからだ。

71、エンゲルスからゾルゲへ（一八八六年一月二九日）

さらに僕が校訂だけ引き受けているものにかぎっても、以下のものがある。一、『ブリュメール一八日』のフランス語訳。三分の一程度はすでにできている。二、マルクスの『賃労働と資本』のイタリア語訳。三、『[国家・私有財産・]家族の起源』のデンマーク語訳。四、『宣言』と『[空想から科学への]社会主義の発展』のデンマーク語訳。この二冊はすでに印刷に回されているが、まちがいだらけだった。四、『家族の起源』のフランス語訳。五、『社会主義の発展』の英訳。さらに多くのものがずっと先に控えている。

72、ゾルゲからエンゲルスへ（一八八七年二月二〇日）

……W夫人[1]［ウィシュネウェツキ］は立派な翻訳をする……彼女に『共産党宣言（Kommunistischen Manifests）』の翻訳［英訳］をやらせてみてはどうだろうか？　その点に関しては、君はすでに出版された出来の悪い翻訳をいくつか持っているし、それに加えて、君の手元には（マルクスの遺稿中に）、H［ヘルマン］・マイアーがこちら［アメリカ］でやった翻訳の原稿がある。君がその原稿をチェックしていくつか注解をつけてこちらへ送ってくれたらいい。W夫人がそれを手直ししてそちらに送り、君がそれを校訂する。そうすれば、こちらで出版できるだろう。

（1）ウィシュネウェツキ、フローレンス（一八五九～一九三二）……アメリカの社会主義者、後にブルジョア改良主義者。エンゲルスの『イギリスにおける労働者階級の状態』を英訳した。

73、エンゲルスからゾルゲへ（一八八七年三月一〇日）

W［ウィシュネウェツキ］夫人には『宣言』を［英語に］訳すのは無理だ。それができるのはただ一人、すなわちサム・ムーア[1]だけで、ちょうど今それをやっているところだ。第Ⅰ章の原稿はすでに僕の手元にある。しかし、それとの関係で言っておくべきことがある。『宣言』だけでなく、マルクスや僕のもっと短いもののほとんどが、アメリカ人には今のところまだあまりにも難しすぎることだ。そちらの労働者は今ようやく運動に入ったばかりで、まだまったく未熟であり、とくに理論に関しては、とてつもなく遅れている。それは、アングロサクソンに共通だが、とくにアメリカ人に特徴的な特質と素養のせいだ。したがって、実践こそが直接的な推進力とならなければならないし、そのためには、まったく新しい文献が必要になる。以前すでにWに提案しておいたのは、普及用に『資本論』の要旨をまとめて独立の短い小冊子にしてはどうかということだ[2]。［アメリカの］人々がまずは多少とも正しい軌道に乗るなら、『宣言』が影響力を発揮することになるのは間違いないが、現時点ではその影響はごく一部の者にしか現われないだろう。

（1）ムーア、サミュエル（一八三〇～一九一二）……イギリスの法律家、マルクスとエンゲルスの友人で、『共産党宣言』および『資本論』第一巻を英訳。
（2）以下を参照。邦訳『マルクス・エンゲルス全集』第三六巻、四四二頁。

74、エンゲルスからゾルゲへ（一八八七年五月四日）

『宣言』の翻訳［サミュエル・ムーアの英訳］はすでにすんでいる。僕のいまいましい目のせいで、読み通すことができないでいるだけだ。僕のデスクにはその他に、フランス語一部［『ルイ・ボナパルトのブリュメール一八日』］、イタリア語一部［『賃労働と資本』］、デンマーク語一部［『家族、私有財産、国家の起源』］の原稿がそれぞれ目を通されるのを待っている！　ところで、君たちドイツ人は四〇年前にはドイツ人的な理論感覚を持っていた。だからこそ当時、『宣言』は影響力を持ったのだが、それに対して、他の諸国民には——［当時］フランス語、英語、フラマン語、デンマーク語などに訳されたにもかかわらず——まったく何の影響も与えなかった。そして非理論的で実践的なアメリカ人にとってはなおのこと、別のもっと平易な食べもののほうが有益だと思う。われわれは『宣言』で述べられている歴史を経験してきたのだが、彼らはそうではない。

75、エンゲルスからシュリューター(1)（在チューリヒ）へ（一八八八年一月二三日）

『暴力論』(2)は二月二〇日までにはあなたの元に届くでしょう。もっと早くそうなる予定だったのですが、『宣言』の英訳の仕事で中断されていたのです。『資本論』の翻訳者であるサム・ムーアがこっちに来て、彼といっしょに急いで仕上げてしまわなければなりません。せっかくの機会を逃したくないのです。

（1）シュリューター、ヘルマン（?〜一九一九）……ドイツの社会主義運動で活動し、一八八九年にアメリカに亡命。同地で社会主義運動に参加。

（2）『暴力論』……エンゲルス「歴史における暴力の役割」のこと。邦訳『マルクス・エンゲルス全集』第二一巻所収。

76、エンゲルスからポール・ラファルグへ（一八八八年二月七日）

僕は仕事で手いっぱいになっている。英訳の『宣言』の仕事がようやく終わって、数日のうちに校正刷りが来るのを待っているところだ。ラウラが［フランス語の］訳文を改善してくれるものと期待している。僕による校閲はかなり大急ぎでしなければならなかったからだ。そうしてもらえれば、再版の際には大いに役に立つだろう。

77、エンゲルスからシュリューターへ（一八八八年二月一二日）

残念ながら、あなたにお約束した原稿［「歴史における暴力の役割」］を今月の二〇日までに送ることができなくなりました。あらゆる種類の中断と、来週届く予定の『宣言』の校正刷り、さらに、ちょうど今は目の治療中で、目の特別の養生が必要であったことがその原因です。

78、エンゲルスからシュリューターへ（一八八八年二月一九日）

［出版されしだい］できるだけ早く、［ドイツ社会民主党の］文書庫(1)のために英語版の『宣言』をあなたに送ります。

（1）文書庫……一八八二年にチューリヒで行なわれたドイツ社会民主党の会議で党文書庫の設置が決定され、一八八三年四月以降、シュリューターがそれを管理。

79、エンゲルスからゾルゲへ（一八八八年二月二二日）

君の長年来の望みは少なくともこの数日中に満たされる。『宣言』がこちら［ロンドン］のリーヴス書店から英語で出版される。翻訳はS・ムーア、校訂は彼と僕の二人、序文は僕だ。初校はもう読んだ。僕が何部か受け取ったらすぐに、君に二部送る。そのうちの一部は［アメリカに住んでいる］ウィシュネウェツキ夫妻の分だ。というのも、リーヴス書店は著者分として印税をS・ムーアに支払うことになっているのだが、契約を結んだのは僕だから、アメリカで海賊版を出すことに僕は直接関わることができない。そんなことをしたら、リーヴス書店はそのことを理由に契約違反だと言うことができ、かわいそうなサム・ムーアは一銭も受け取れなくなってしまうだろう。しかし明らかに、海賊版を出すことに僕は反対できないし、そうするつもりもない。何といってもリーヴス書店も、『労働者階級の状態』への僕の序文を勝手に再刊したのだから。

80、エンゲルスからウィシュネウェツキへ（一八八八年二月二二日）

『ジャスティス』が、『共産党宣言（Communist Manifesto）』の古いアメリカ訳[1]をまた出しました。[2]これを見たリーヴスが、著者認定訳について問い合わせてきました。私はS・ムーアによる翻訳を持っていて、サムはたまたま当地にいました。そこで私たちはそれを改訂して、リーヴス書店に売ることにしました。ムーアは先週校正刷りを受け取りました。それが出版されしだい、あなたに一部差し上げましょう。サム・ムーアは私の知っているかぎりで最良の翻訳者ですが、仕事の報酬を何も得ないで仕事をするような地位にはありません。（原文は英語）

（1）「古いアメリカ訳」……一八七一年一二月三〇日に『ウッドハル&クラフリンズ・ウィークリー』に掲載されたもの。

（2）『ジャスティス』（イギリス社会民主連盟の機関誌）の一八八八年一～二月の各号に連載。

81、エンゲルスからリープクネヒトへ（一八八八年二月二三日）

『宣言』が英語版で出る。僕の編集だ。受け取りしだい、君に一部送る。

82、エンゲルスからニーウェンホイス(1)へ（一八八八年二月二三日）

あと八〜一四日もしたら、私が校訂した『共産党宣言（Komm［unistischen］Manifests）』の英語版が出ます。一部あなたにお送りします。こちらでは同書への大きな需要があります。これもよい徴候です。

（1）ニーウェンホイス、フェルディナント・ドメラ（一八四六〜一九一九）……オランダ労働運動の代表者でオランダ社会民主同盟、のちに社会民主労働党の創立者および指導者の一人。

83、エンゲルスからラウラ・ラファルグへ（一八八八年二月二五日）

『宣言』［英語版］の最後の校正刷りを発送してから、郵便の締切時刻まで三〇分だけあるので、あなたに近況をお伝えします。

84、エンゲルスからゲルソン・トリエル(1)(在コペンハーゲン)へ(一八八九年一二月一八日)

プロレタリアートは暴力革命なしには、新しい社会への唯一の扉を開く自己の政治的支配を獲得することはできないこと、この点に関してわれわれは同意見です。プロレタリアートがその決戦の日に勝利を獲得しうるだけ強くなっているためには――そしてこの点についてはマルクスと私は一八四七年以来ずっと主張しつづけてきたのですが――、プロレタリアートは、他のいっさいの諸政党から分離し、それらに対立した特別の党を、つまり、自覚した階級政党をつくる必要があります。

しかし、だからと言って、この党が一時的に、自己の目的のために他の諸政党を利用してはならないというわけではありません。また、直接にプロレタリアートの利益になるか、あるいは経済的発展や政治的自由の点で進歩的であるような諸措置をめぐって、一時的に他の諸政党を支援できないわけでもありません。……しかし私がそれに賛成するのは、それが直接にわれわれ自身の利益となるか、あるいは経済的・政治的革命の方向に向けた国の歴史的発展につながることが明白で、努力する価値がある場合にかぎります。ただし、その際にプロレタリア党の階級的性格を危うくしないという前提のもとで、です。これは私にとって絶対的な限界です。

この政策はすでに一八四七年に『共産党宣言』の中で展開されていますし、われわれは一八四八年［以降も］至る所で、そしてインターナショナルでもこの方針に従ってきました。

（1）トリエル、ゲルソン（一八五一〜?）……デンマークの教師で、デンマーク社会民主党の革命的少数派。指導部の日和見主義者と闘っていたが、いささかセクト主義的傾向があり、たとえ一時的でも他党派との協力は原則的に拒否されるべきであるとみなした。

85、エンゲルスからゾルゲへ（一八九〇年四月三〇日）

『宣言』の新版［一八九〇年ドイツ語版］は現在印刷中だ。社会主義者取締法が消え去る前に、あと五〇〇〇部ドイツに送りたいと思っている。

86、エンゲルスからゾルゲへ（一八九〇年八月九日）

たった今『宣言』の新しいドイツ語版が届いた。一部、これに同封して、君に送る。

87、エンゲルスからマルティネッティ[1]へ（一八九一年三月六日）

『共産党宣言（Komm［unistischen］Manifests）』の［イタリア語への］翻訳を私は熱望しています。

（1）マルティネッティ、バスクァレ（一八四四〜一九二〇）……イタリアの革命的社会主義者で、マルクスとエンゲルスの著作をイタリア語に翻訳。

88、エンゲルスからトゥラティ[1]（在ミラノ）へ（一八九一年三月七日）

あなたの雑誌にも、あなたが発行を予定している社会主義文庫にも寄稿する時間が私にはないのではないかとあなたは懸念されていますが、まったくその通りです。それどころか、マルクスの諸著作と私自身の小冊子の新版の準備に手が取られて、マルクスの『資本論』第三巻の原稿を仕上げる時間さえほとんどないのです。現時点で、校訂したり、完成させたり、新しい序文を書いたりするべき著作を四冊も抱えています。他の仕事のための時間をどうやって見つけ出すことができるでしょうか？　とはいえ、私はあなた方ができるだけ成功するよう願っていますし、一八四七年のわれわれの『宣言』のよいイタリア語訳をぜひとも読みたいと思っています。

(1) トゥラティ、フィリッポ(一八五七〜一九三二)……イタリアの弁護士で社会民主主義者。一八九二年におけるイタリア社会党の創立者の一人。一八九六年以降は同党右派の指導者。『クリティカ・ソチアーレ』の発行者。

89、エンゲルスからゾルゲへ(一八九一年三月二一日)

今日はウィーンの『アルバイター・ツァイトゥング』、『フォルクス・トリビューネ』、『フィガロ』(パリの集会)の他に、『宣言』のイタリア語訳[1]をお送りする。

(1)「『宣言』のイタリア語訳」……これは、エンゲルスの序文が掲載された一八九三年版ではなく、それ以前の一八九一年に出されたもの。

90、エンゲルスからマルティネッティへ（一八九一年四月二日）

あなたの英語学習の助けになるよう、英語版の『共産党宣言（Kommunistischen Manifests）』をお送りします。また英語版の『資本論』を一部入手しておきます。現時点では、苦労して読む価値のある英語の社会主義新聞はありません。ですが、時おり、ブルジョア新聞の――できるだけおもしろそうな――号を学習用にお送りします。英語の文法書と辞書を使ってそれらを読めば、すぐに上達することでしょう。ただし、発音を学ぶには良い教師なしにはできません。いずれにしても、この言語はとても簡単です。なにしろ文法と呼べるものがないに等しいのですから。

ドイツ語版の『宣言』が必要であれば、はがきでお知らせください。

91、エンゲルスからスタニスラフ・メンデルソンへ（一八九二年二月一一日）

序文［『共産党宣言』一八九二年ポーランド語版序文］を同封します。特別たいしたものではありませんが、残念ながら、現時点ではこれがあなたにお渡しできる精いっぱいのものです。『宣言』の次の新版が出版されるまでには、あなた方の言語を十分に学んで、ポーランドの労働運動を苦労なく追えるようにしておきたいと思います。そうすれば、知識を持ったうえでそれについて語ることができるでしょう。

92、エンゲルスからカウツキーへ（一八九二年八月一二日）

［イギリスの］社会民主連盟[1]は純然たるセクトだ。同組織はマルクス主義を一個のドグマへと硬直化させ、そのうえで、正統マルクス主義（実際には誤解だらけのマルクス主義）ではない、あらゆる労働運動を拒否することによって、つまり『宣言』で推奨されている政策と正反対の政策を追求することによって、セクト以外のいかなるものになることも不可能にしている。

（1）社会民主連盟……一八八一年設立のイギリスの社会主義組織。指導者はハインドマン。ハインドマンの独裁的指導に反対した左派グループは脱退して一八八四年一二月三〇日に社会主義連盟を結成したが、同組織はやがて無政府主義的傾向を帯びた。

93、エンゲルスからトゥラティへ（一八九三年一月七日）

『ロッタ・ディ・クラッセ[1]（階級闘争）』に掲載された『宣言』の［イタリア語の］翻訳を拝

見して大変うれしく思いました。しかし、仕事で手いっぱいで、原文と比較することはできません。あなたがパンフレットとして出す版のために、すべての序文を載せた最新のドイツ語版（ロンドン）を数日中に送ります。

私の「イタリア語版のための」序文に関してですが、[2] 私の立場は以下の通りです。もう一人のイタリア人の友人[3]――きっとご存知だと思いますが――がこの著作の翻訳と、この書物についてのかなり長大な著作を準備しているところです。[4] 彼は、『ロッタ・ディ・クラッセ』第一号の発行以前からその意図を私に伝えてきているので、私としてはあなたに明確な答えをする前に彼と相談する必要があると思います。さらに言うと、この種の序文についてわずらわしく感じはじめています。つい最近も、ポーランド語訳のために序文を書かなければなりませんでした。言うべき新しいことが何かあるでしょうか？

（1）『ロッタ・ディ・クラッセ』……イタリア労働者社会党の中央機関紙。一八九二年から一八九八年までミラノで発行。

（2）フィリッポ・トゥラティは、一八九三年一月四日付の手紙でエンゲルスに、一八八三年のドイツ語第三版を底本としてイタリア語に翻訳された『共産党宣言』が、『ロッタ・ディ・クラッセ』に掲載され、それを単行本として出版するつもりなので、短い序文を書くことができないかと尋ねた。

（3）イタリア人の友人……アントニオ・ラブリオーラ（一八四三〜一九〇四）のこと。ラブリオーラはイタリア・マルクス主義の創始者の一人。一九世紀末の修正主義論争ではベルンシュタインを批判。レーニン、トロツキー、グラムシに影響を与える。

（4）邦訳は、ラブリオーラ『思想は空から降ってはこない――新訳・唯物史観概説』同時代社、二〇一〇年。

94、エンゲルスからトゥラティへ（一八九三年一月三〇日）

短い序文［『共産党宣言』イタリア語版序文「イタリアの読者へ」］を送ります。早ければ明日にでもそちらに着くでしょう。しかしながら、一八四八年の『宣言』の付録に、一八八四年のイギリス社会主義連盟の綱領を付けないようお願いします。[1]『宣言』は一種の歴史文書であり、四〇年も後に出された文書をそれに付けたりすれば、後者に特別の性格が付与されることになります。それに、今のところイギリス［社会主義連盟］の綱領の原文が見当たらないので、両者を比べてみることもできません。それが最初に公表されて以降、一度も目にすることがなかったからです。また、私は、社会主義連盟の綱領やその他の出版物と何の関わりもありません。この団体はすぐに無政府主義的な性格を帯びるようになり、このような戦線転換に与することを欲しなかったすべてのメンバー（エーヴリング夫妻[2]、バックス[3]、など）は、そこから脱退しました。その結果、このとっくに死んでしまった連盟は、ここではもはや無政府主義団体としてのみその名が挙げられるだけです。ですから、連盟の最初の綱領を一八四八年の『宣言』といっしょに再刊すれば、どんな誤解を誘発することになるかわかるでしょう。

（1）トゥラティは、一八九三年一月二三日付の手紙でエンゲルスに、『共産党宣言』イタリア語版の付録として、社会主義連盟の創立のさいに採択された綱領（『社会主義連盟宣言』）を載せることを提案していた。

（2）エーヴリング夫妻……エリナ・マルクス＝エーヴリング（一八五五～一八九八）とエドワード・エーヴリング（一八五一～一八九八）。エリナはマルクスの末娘。エドワード・エーヴリングはイギリスの社会主義者。

（3）バックス、アーネスト・ベルフォート（一八五四～一九二六）……イギリスの歴史家、ジャーナリスト、社会主義者。イギリスにおけるマルクス主義の最初の普及者の一人。

95、エンゲルスからダニエリソン[1]（在ペテルブルク）へ（一八九三年二月二四日）

たしかに、［ロシアの農村］共同体およびある程度までアルテリには、ある一定の条件下でいっそう発展してロシアに資本主義制度の艱難辛苦（かんなんしんく）を経る必要を免れさせてくれる萌芽が含まれていました。私は、ジュコーフスキー[2]に関するわが著者［マルクス］の手紙[3]に、完全に同意します。しかし、マルクスの意見にあっても、私の意見にあっても、そうしたことが起こるのに必要な第一条件は、外部からの衝撃、つまり西ヨーロッパにおける経済システムの変革であり、資本主義（Kapitalismus）がその発祥諸国で破壊されることでした。わが著者は一八八二年一月に、古い宣言［『共産党宣言』］のある序文［一八八二年ロシア語版序文］の中で、ロシアの共同体はより高次の社会発展の出発点になりうるのかという問いに答えて、次のように述べました。もしロシアにおける経済システムの変革が西欧における経済システムの変革と軌を一にして起こり、こうして両者が互いに補いあうならば、現在のロシアの土地所有は新しい社会発展の出発点になることができるだろう、と[4]。

もし西欧がそれ自身の経済的発展をもっと急速に遂行していたなら、そしてわれわれが一〇年か二〇年前に資本主義システムを転覆することができていたなら、ロシアには、資本主義に向けたそれ自身の発展傾向を回避するだけの時間がもしかしたらまだあったかもしれません。残念ながら、われわれの歩みはあまりにもゆっくりとしており、資本主義システムの経済的諸結果、すなわちついにこのシステムを臨界点へと至らせるにちがいないそういう諸結果は、最近になってようやくわれわれの周囲のさまざまな国で発展しつつあるところです。イギリスがその工業上の独占を急速に失いつつある一方で、フランスとドイツがイギリスの工業水準に接近しており、またアメリカは、工業生産物においても農産物においても、これらの国々のすべてを世界市場から駆逐せんとしています。アメリカで少なくともある程度の自由貿易政策が採られれば、確実にイギリスの工業上の独占は完全に破滅し、それと同時にドイツとフランスの工業製品の輸出が破壊されることになるでしょう。そうなれば、危機がやって来るにちがいありません。どんなに遅くとも今世紀の終わりには。しかし、その間にもあなたの国の共同体は崩壊していくでしょう。われわれに望むことができるのは以下のことだけです。われわれのところ［西欧］において、よりよきシステムへの移行が十分早く起こって、あなたの国の少なくともいくつかの辺鄙（へんぴ）な農村地域で、かかる状況の中で偉大な未来に貢献しうる制度を救うのに間に合うことです。しかし、事実は事実です。そうした可能性が年々小さくなっていくことを忘れるべきではないでしょう。

（1）ダニエリソン、ニコライ・フランツェヴィチ（一八四四～一九一八）……ロシアの著述家、経済学者。一八八〇年代から九〇年代にかけてナロードニキの理論家の一人。ロシアの国内市場の狭隘さを理由にロシアにおける資本主義発展の可能性を否定した。マルクスおよびエンゲルスと長年にわたって文通を続け、『資本論』全三巻をロシア語に翻訳した。

（2）ジュコーフスキー、ユーリー・ガラクチオノヴィチ（一八二二～一九〇七）……ロシアのブルジョア経済学者。論文「カール・マルクスと資本に関する彼の著作」の中でマルクスを批判し、ナロードニキのミハイロフスキーがそれを取り上げた。

（3）邦訳『マルクス・エンゲルス全集』第一九巻、一一四頁以下。

（4）本書、一二四頁。

96、エンゲルスからトゥラティへ（一八九三年三月一二日）

［イタリア語版『共産党宣言』の］校正刷りを返送します。あなたに与えられた短い期間では深く検討することはできませんでした。私は数日のあいだこちらの海岸に滞在していて[1]、小包がこちらに転送されてきたので、そのためさらに時間が失われたのです。

付録としてインターナショナルの綱領――理由文付きの規約にせよ、あるいは一八六四年の創立宣言にせよ[2]――をつけるのは、あなたの自由です。こちらに『宣言』のロシア語版を持ってきていないので、あなたがおっしゃるのがどちらの文章なのかわかりません[3]。

（1）エンゲルスは、一八九三年三月一日ごろから一七日まで、保養のためにイーストボーン（イギリス海峡に面した保養地）に滞在していた。

（2）邦訳『マルクス・エンゲルス全集』第一六巻、三頁以下。

（3）一八九三年三月七日付の手紙でトゥラティは、一八八二年の『宣言』ロシア語版のように、「国際労働者協会の綱領」を付録として載せるべきかどうか問い合わせた。

97、エンゲルスからロイド[1]（在シカゴ）へ（一八九三年三月半ば）

私は、一八四八年の『共産党宣言（Communist Manifesto）』（K・マルクスと私との共著）の英語版と、数ヵ月前に出版された私の『空想的社会主義と科学的社会主義』〔『空想から科学への社会主義の発展』〕を書籍郵便で送りました。ささやかな協力の証しとしてです。それらがあなたがたの労働者大会の参加者の興味を引くことを希望しています。[2]（原文は英語）

（1）ロイド、ヘンリー・デマレスト（一八四七〜一九〇三）……アメリカの経済評論家。独占論者に反対しアメリカ労働者階級の闘争を支持。

（2）ロイドは、一八九三年二月三日付の手紙でエンゲルスに、一八九三年八〜九月にシカゴの万国博覧会の開会中に開かれることになっていた労働者大会に出席するよう招待。エンゲルスは『資本論』第三巻を仕上げる仕事があるので、依頼には応えられないと断った。

98、エンゲルスからラディムスキー[1]（在ウィーン）へ（一八九三年三月二一日）

今月一八日付のあなたの手紙[2]への返事として私は、『共産党宣言』がチェコ語訳でも出されるということに喜びを表明することができるだけです。言うまでもないことですが、私に関するかぎり、まったく異存はありません。それどころか、このことは、私だけでなく、マルクスの娘たちも大いに喜びとするでしょう。

（1）ラディムスキー、アウグスト（一八六九〜一九二九）……チェコの社会民主主義者でジャーナリスト。ウィーンの『アルバイター・ツァイトゥンク』編集部の一人。『共産党宣言』をチェコ語に翻訳した。

（2）ラディムスキーは、一八九三年三月一八日付の手紙でエンゲルスに、ウィーンで発行されているチェコ語の党新聞の発行者が『共産党宣言』をチェコ語の小冊子として出版したがっている、と知らせた。

99、エンゲルスからトゥラティへ（一八九三年六月六日）

『宣言』の［イタリア語への］翻訳、ありがとうございます。

100、エンゲルスからジュゼッペ・カネパへ[1]（一八九四年一月九日）

近代の社会主義者の中で偉大なフィレンツェ人［ダンテ］に匹敵する唯一の人物であると思われるマルクスの著作のうちに、私はあなたが望まれているような金言を見つけだそうとしました。[2] しかしながら、私が見つけることができたのは、『共産党宣言』に述べられている次の一節だけでした（『クリティカ・ソチアーレ』のイタリア語訳の三五頁）。すなわち、「諸階級に分裂し階級対立をともなう古いブルジョア社会に代わって、各人の自由な発展が万人の自由な発展の一条件である協同社会が登場する」[3]。

未来の新しい時代の精神を数語で要約することは、ユートピアニズムや空文句に陥ることなしには、ほとんど不可能です。ですから、私の提供した引用文があなたの希望に沿わないものだとしても、お許しください。

（1）カネパ、ジュゼッペ（一八六五～一九四八）……イタリアの弁護士、社会主義者、改良主義者。第一次世界大戦のさいには社会排外主義者。
（2）カネパは、一八九四年一月三日の手紙の中でエンゲルスに対して、一八九四年三月からジュネーブで刊行されるイタリア語の週刊誌『エラ・ヌオヴァ（新時代）』のために、社会主義の理念と来たる新しい時代――ダンテがかつて「一方は支配し他方は苦しむ」という言葉で特徴づけた旧時代とは異なる――を簡潔に表現するような標語を示してほしいと頼んだ。
（3）本書、九〇頁。イタリア語訳は若干表現が違う。

101、エンゲルスからパナイト・ムショユ[1]（在ブカレスト）へ（一八九四年三月二〇日）

私はロンドンを留守にしておりましたので［二月中はイーストボーンの保養地に滞在］、二月二四日付のあなたの手紙にもっと早く返事することができませんでした。あなたの手紙[2]ならびに［ルーマニア語訳の］『共産党宣言（*Manifestul comunist*）』と『空想的社会主義と科学的社会主義』も確かに受け取りました。たいへんありがとうございます。残念ながら私は、あなたの翻訳がどれほど立派なものかを判断できるほどルーマニア語に通じていませんが、それでもあなたに注意を促すことができるとすれば、ドイツ語の著作を翻訳する場合には、そのフランス語訳を基礎にしないようにした方がいいということです。

残念ながら、私には時間がなく、新版のために序文を書いてほしいというあなたのご要望に応えることはできません。私は、マルクスの『資本論』第三巻を完成させることに集中しています。印刷が急速に進行している最中なので、中断や停滞が生じたりしないよう、原稿の残りを仕上げることに私のすべての時間を使わなければならないのです。

（1）ムショユ、パナイト（一八六四～一九四四）……ルーマニアの社会主義者。『共産党宣言』その他のマルクスとエンゲルスの著作をルーマニア語に翻訳した。

（2）ムショユは、エンゲルスに、『空想から科学への社会主義の発展』と『共産党宣言』を自分でルーマニア語に翻訳したことを手紙で伝えるとともに、この両訳書の第二版のために序文を書いてほしいと頼んだ。

102、エンゲルスからラウラ・ラファルグへ（一八九四年七月二八日）

『エール・ヌーヴェル（新時代）』誌が、『ソシアリスト』に掲載されたフランス語の『宣言』の中のいくつかの箇所――パリのテキスト校閲者たちが、「フランス語と『宣言』の著者たちのため」と称していくつかの表現をかなり狭く解釈した箇所――を修正しなおす機会をあなたに与えてくれたことを本当にありがたく思う。[1] できるだけたくさんそれを再版させることができれば、もちろん大いに喜ばしいことは言うまでもない。

（1）『共産党宣言』のフランス語版は、一八九四年九月から一一月まで、『エール・ヌーヴェル』に掲載されたが、同発行所から独立の小冊子としても出されることになった。

103、エンゲルスからラウラ・ラファルグへ（一八九四年一一月一二日）

以上述べたすべてのことの結果として、僕の返信だけでなく、『エール・ヌーヴェル』に載ったあなたのフランス語の『宣言』もすっかり放置されてしまったのだ。

しかし、今朝になって僕は、ごちゃごちゃになっている書籍の山の中からこの雑誌の一〇月号と九月号を掘り出して、［ドイツ語の］原文と比較した。あなたに賛辞を呈する――『フォイエルバッハ論』よりも出来が良い！[1] これは、あの古い『宣言』のフランス語訳の中で、本当に絶え間ない喜びを感じながら読んだ最初のものだ。残念ながら、最後の部分を含んでいる一一月号がまだ手に入っていないので、まだ最後まで読み終わっていない。二、三の示唆を後ろの方で書いておく。それらはまったく取るに足らないものだ。

……

九月号

・四頁、第二段落——Verkehrsmittel が moyens de communication［交通手段］と訳されている。『宣言』では、われわれは Verkehr を一般に Handelsverker［交易、交換］の意味に用いている。後の方ではこれは常に正しく échange［交換］と訳されている。この箇所も *échange* の方がいいだろう。もっとも、これは重要ではない。

・七頁、第一段落——La Bourgeoisie 、テキストでは e が抜けている。

・一〇頁、第二段落——der Hausbesitzer［家主］、Krämer［商店主］が、le petit propriétaire［小所有者］と訳されている。もっとテキストに忠実に、le propriétaire［家主］、le boutiquier［商店主］、le prêteur sur gages［質屋］と訳すべきでは？.

・一二頁、五行目、誤植。garantie *locale*［地方的］は、*légale*［法的］に。

・一五頁、三行目——Courgeoisie は *Bourgeoisie* に。見られるように、ミスを見つけ出すには通常の誤植に逃げ込まなければならない［ほどミスが少ない」！　一〇月号のテキストでは、そうすることさえできない。

（1）ラウラは『エール・ヌーヴェル』の四月号と五月号にエンゲルスの『フォイエルバッハ論』のフランス語訳を掲載した。

104、エンゲルスからアタベキアンツ(1)（在シュトゥットガルト）へ（一八九四年一一月二三日）

私の『[空想から科学への]社会主義の発展』と、また最近『共産党宣言（Kommunistischen Manifests）』をあなたの母語であるアルメニア語に翻訳してくれたことに心から感謝します。しかし、残念ながら、この後者の翻訳のために短い序文を書いてもらいたいというあなたの希望に沿うことができません。私には、自分の知らない言語で出版されるものに書くことはできかねます。もし私があなたへの好意でそうしたなら、他の人を断わることができなくなります。そうすると、私の言葉が、意図することなく、あるいは故意に歪められて世に広まり、おそらく何年もたってはじめて私がそれを知るか、または全然知らずにいるということになりかねません。

（1）アタベキアンツ、ヨシフ・ネルセソヴィチ（一八七〇～一九一六）……アルメニアの農学者、社会民主主義者。『共産党宣言』をアルメニア語に翻訳した。

105、エンゲルスからラウラ・ラファルグへ（一八九四年一二月二九日）

フランス語の『宣言』への序文に関してだが[1]、こうしてはどうだろうか。つまり、ドイツ語版の四つの序文をまとめて一つの序文をつくり上げ、その中でこの著作の来歴についてフランスの読者の興味をそそるような情報を提供する。それから、何らかの追加ができるかどうか見るためその原稿を僕のところに送ってもらって（僕は、ちょうどアルメニア語訳を受けとったところだ）、そのうえで、僕が自分の名前でそれに若干の加筆をするかもしれない。こうすれば困難が解決されるのではないか？

（1）フランス語版の『共産党宣言』が独立の小冊子として出版されることになったとき、ラウラ・ラファルグはエンゲルスに、一八九四年一二月二三日付の手紙で、どの序文を優先すべきかについて助言を求めた。ラウラ・ラファルグは、一八九〇年のドイツ語版についていた四つの序文をすべて翻訳するのは不適当だと考えた。結局、一八九五年にパリで刊行されたフランス語版『共産党宣言』の小冊子には出版社の短い序文だけが付けられた。

106、エンゲルスからフィッシャー(1)（在ベルリン）へ（一八九五年二月二日）

『フォアヴェルツ』がその出版部を発足させたさい、君たちの出版物はすべて二部ずつ僕に送ってくれる、とアウグスト［ベーベル］は書いてきた。しかし、最近はこれがまったく実行されていない。たとえば、君たちの最新版の『宣言』を一冊も受けとってないし、そもそもベルリン版は一冊もだ(2)。僕のところには、まだいろいろな小品が欠けているが、すぐ思いつくものを列挙しておこう。送ってもらえると大いにありがたいのは、二巻本の『転覆活動取締法討論』の復刻版と最新版の『共産党宣言』を数部だ。

（1）フィッシャー、リヒャルト（一八五五〜一九二六）……ドイツの植字工、ドイツ社会民主党員で『フォアヴェルツ』印刷部の経営担当者。
（2）『共産党宣言』の第五版と第六版は一八九一年と一八九四年にベルリンで出版された。

解説　未来に向けた未完の宣言――『共産党宣言』の新訳によせて

森田 成也

はじめに

一八四八年二月に『共産党宣言』がロンドンの片隅でドイツ人亡命者たちによって印刷されたとき、世界のほとんどはまだ本来の意味で資本主義化していなかった。資本主義システムはせいぜいヨーロッパの一部と北アメリカに存在していただけであった。たしかに、『共産党宣言』の一節が印象的に述べているように、欧米の資本主義帝国はその強力な武器と蒸気船を用いて、世界をその政治的・経済的支配下に収めつつあり、世界市場をつくり出しつつあったが、世界そのものはまだ資本主義化するにはほど遠く、『共産党宣言』の著者たちの祖国プロイセンでも資本主義が成長し始めたところであった。日本はというと、まだ江戸時代であり、その周辺の海にはすでに欧米列強の蒸気船が出没していたとはいえ、なお封建体制の爛熟を謳歌していた。ペリーの黒船が来航して幕末の疾風怒濤のドラマが始まるのは、まだ数年先の話である。したがって、『共産党宣言』の最後の一句で言う「万国のプロレタリア」とは、せいぜいヨーロッパの一部と北アメリカのプロレタリアートに限定されていた。

このような時代にすでに『共産党宣言』は、資本主義の世界的制覇の必然性を予見するとともに、それと同時に、その墓掘り人としての産業プロレタリアートも成長していき、やがてそれが資本主義システムを転覆して自己自身の支配を打ち立てるとの予見を示した。それ以降、『共産党宣言』のこれらの予言は外れたのか否かということがしばしば取り沙汰されてきた。ほとんどの人々は、第一の予見（資本主義の世界的制覇の必然性）は見事に当たったが、第二の予見（プロレタリアートによる資本主義の転覆）の方は——とくにソ連・東欧の崩壊後は——まったく外れたと言うのが通常だった。ごく最近でも、スラヴォイ・ジジェクは『共産党宣言の妥当性』（プルート社、二〇一九年）という著作において一〇一回目のその種の宣告を行なっている。

しかし、『共産党宣言』が書かれた当時、古典的な意味でのプロレタリアート（主として工業、鉱業、運輸、建設、農場における賃金労働者）は資本主義諸国でせいぜい数百万人程度であり、労働者の圧倒的多数は農民・農奴か手工業労働者だったのに対し、今日ではその数は全世界で数億人に達している。そしてそこに各種サービス部門や通信部門の労働者を加えるなら、多くの資本主義国でプロレタリアートは人口の多数を占めるに至っている。また、労働者階級は、一九世紀以降、世界のあらゆる進歩的運動と革命の主要な担い手でありつづけ、後進諸国では多数派の農民と同盟して労働者革命を実現し、（さまざまな限界がありつつも、またその後崩壊したとしても）労働者政府を実現しただけでなく、先進諸国においても、福祉国家をはじめあらゆる進歩的な成果を獲得する主体となってきた。一九世紀以降、労働者およびそれと同盟した農民の闘いなしに、どれか一つでも本当の意味で進歩的な成果が獲得できた事例を挙げることができるだろうか？　ＧＨＱの支配下で実行された日本の戦後改革でさえ、そもそもアメリカにおける一九三〇年代のあの巨人的な産別労働運動なしには実現されなかったし、日本の敗戦直後から嵐のように発展した戦後労働運動なしには維持しえなかった。

そう考えれば、『共産党宣言』の予見は、第一のものは当然として、第二のものも半ば実現されたと言っても過言ではない。そして、労働者階級に代わるどんな階級勢力ないし社会階層も資本主義を転覆しうるような力量を示していないし示しえないのだから、資本主義をより公正で持続可能な社会システムへと置き換えうる変革主体は、やはり労働者階級およびそれと連合した被抑圧諸階層であると考えるほかない。その意味で、『共産党宣言』は単なる過去の歴史的宣言であるだけでなく、未来に向けた未完の宣言でもあると言うことができるだろう。ギリシャの旧シリザ政権の財務大臣をつとめたヤニス・バルファキスが、マルクス生誕二〇〇年を記念した特別版の『共産党宣言』（二〇一八年、ヴィンテージ）の序文で述べているように、『宣言』は依然として「希望の源泉」であり続けている。

1 「共産主義の原理」から『共産党宣言』へ

『共産党宣言』は、ロンドンに亡命していた主としてドイツ人労働者と知識人からなる共産主義者同盟の綱領として起草され発表された。当初、綱領の初期草案として種々の文書が書かれ、同盟員に回覧されたが、共産主義者同盟の中では、後から入ったにもかかわらず理論的に抜きん出ていたマルクスとエンゲルスに最終的に綱領の起草が委ねられた（一八四七年一一月〜一二月初めの共産主義者同盟の第二回大会において）。

エンゲルスはすでに、「共産主義の原理」という草案を起草していた。これは、共産主義者同盟の指導的幹部であったシャッパーが書いたと思われる草案を下敷きにしてそれを拡張したものであり、古い教理問答（カテキズム）の形式を踏襲したものだった。「問いと答え」という教理問答形式で自分たちの政治的信条を表明するというやり方は、以前からしばしば行なわれていたもので、とくに有名でおそらく共産主義者同盟の人々にも直接影響を与えたと思われるのは、サン・シモンの『産業者の教理問答』である（翻訳は岩波文庫、二〇〇一年）。エンゲルス起草の「共産主義の原理」が第2問で「プロレタリアートとは何か」と問うているように、サン・シモンの『産業者の教理問答』は第1問で「産業者とは何か」と問うことから始めている。

同書の初版は、フランスの王政復古期の一八二五年に発表されたものであり、貴族と聖職者への敵意という点ではフランス革命の精神を受け継ぐものだが、国王に対してはそうではなく、むしろ国王は自分の素晴らしいアイデアを取り上げて実現してくれる主体とみなされていた。とはいえ、フランス大革命において「第三身分」として想定されていた社会の中心的担い手は、ここでは「産業者」としてより実体的かつ物質的に限定されている。シェイエスが「第三身分とは何か、それはすべてである」と大胆に宣言したように、サン・シモンは「産業者とは何か」と自ら問うて、それは社会の全成員のあらゆる必要や嗜好を満たすものを作り出す者たちであるとし、社会の最も重要な部分であるとした。「第三身分」という法的・身分的概念とは違って、「産業者」という概念はすでに社会の経済的・物質的担い手を指示するものであった。しかし、「産業者」という概念には、当時におけるフランスの階級分化の未成熟さがやはり反映していて、そこには農民や手工業労働者や工業プロレタリアートだけでなく、商人や産業資本家も含まれていた。しかし、この著作が出版されて二〇年以上後の「共産主義の原理」では、社会の階級分化は十分に進んでおり、社会の物質的担い手であるのは、もはや「第三身分」でもなければ「産業者」でもなく、「プロレタリアート」としてより厳密に規定されるに至っている。そして、その訴えは国王や社会の教養層にではなく、ましてや産業資本家にではなく、プロレタリアート自身に向けられていた。

マルクスとエンゲルスが共産主義者になって以来けっして変わることのなかった基本原則は、労働者階級の最終的解放は資本主義の転覆なしには不可能であり、そしてそれは他ならぬ労働者階級自身の事業であるというものである。国王や教養層に向けた啓発文書であった『産業者の教理問答』の古い形式を踏襲することは、このような根本的転換にそぐわないものであった。エンゲルスはすでに「共産主義の原理」を書き終わった直後からこのような形式の古臭さに気づき、もっとストレートに労働者階級自身に訴える「宣言」という形式がふさわしいと考えるに至った（本書の第Ⅲ部の手紙1。以下、Ⅲ―1、等と略記）。この新しい線に沿って、マルクスとエンゲルスはブリュッセルで一八四七年末に新しい綱領を練り上げるのだが、エンゲルスは途中でパリに向かわざるをえなくなり、その仕上げと最終的な文章化はマルクスに委ねられた。しかし、なかなか完成品が送られてこないことに業を煮やした、ロンドン在住の中央指導部メンバー（シャッパー、モル、バウアー）はマルクスに、一八四八年一月二五日付の手紙で最後通牒を送る（Ⅲ―2）。マルクスは与えられた期限のぎりぎりになってようやく完成させ、こうしてその後、世界史を変えることになるわずか二三頁の文書がブリュッセルからロンドンに送られるのである。マルクスのある伝記作家はこう書いている――「マルクスが執筆に時間をかけたのは間違っていなかった。生み出されたものが文学的傑作と呼べるものだったからである。この作品は簡潔であるが含蓄に富み、優雅で力強く、皮肉たっぷりで、読者をみなたちまち魅了してしまう」

(ジョナサン・スパーバー『マルクス――ある十九世紀人の生涯』上、白水社、二〇一五年、二六四頁)。

この「文学的傑作」が印刷された直後にフランス二月革命勃発の報がヨーロッパをかけめぐった。パリの労働者が中心的担い手となったこの革命はただちにウィーン、ベルリン、ミラノなどに波及し、やがて大陸ヨーロッパ全体を巻き込む大規模な革命となった。ロンドンに亡命していた多くの共産主義者やその他の共和主義者たちは、革命に直接参加すべく、こぞって大陸ヨーロッパへと向かった。二月革命が引き起こしたヨーロッパ規模の革命の嵐は、『共産党宣言』の各国語への翻訳と普及という当初予定されていた課題を事実上不可能にした。後年、一八七二年ドイツ語版序文の中で、『共産党宣言』が一八四八年中にフランス語、ポーランド語、デンマーク語に実際に翻訳出版されたと主張されているし(本書、一二〇～一二一頁。以下、頁数のみ表記)、また一八八七年におけるエンゲルスのゾルゲ宛ての手紙では「フランス語、英語、フラマン語、デンマーク語などに訳された」(Ⅲ―74)と言われ、さらに一八六〇年におけるマルクスの『フォークト君』の中でも、「この宣言は一八四八年のはじめに印刷され、後に英語、フランス語、デンマーク語、イタリア語に翻訳されて刊行された」(邦訳『マルクス・エンゲルス全集』第一四巻、四二〇頁)とあるのだが、一八四八年中にそれらの翻訳が出された明確な証拠は見つかっていない。実際、『レッド・リパブリカン』に掲載された『共産党宣言』の最初の英訳に付されたジュリアン・ハーニーの「まえがき」の中では、二月革命後の激動のせいで他のヨーロッパ諸国の言語への翻訳の企図は果たされず、二種類の異なったフランス語訳の原稿が作成されたが、これらも結局出版できなかったと書かれている(MEGA/I-10, S.605)。かろうじて、一八四八年末におけるスウェーデン語版(『共産主義の声』という題名)の刊行が確認されているが、なぜかマルクスもエンゲルスもこのスウェーデン語版には言及していない。デンマーク語版と同一視されたのかもしれない。

2　『共産党宣言』の論理と展望

マルクスは一八五九年の『経済学批判』の序言において、自分の経済学研究にとって「導きの糸として役立った一般的結論」について簡潔にまとめている。それは後に「史的唯物論の定式」として一般に知られるようになるが、それは、社会の経済的土台として、物質的な生産諸力とそれに照応する生産諸関係とを挙げ、この両者が有機的で相互作用的な連関を持っているときには社会は順調に発展していくが、両者が矛盾に陥り、とりわけ生産関係が生産力に対する桎梏に転じるときには、危機と社会革命の時代が到来し、新たな生産力水準に照応した新しい生産関係が樹立することで初めてこの危機は解決されるとする。このような一般的な見解はすでに『共産党宣言』以前の『哲学の貧困』や有名な「アンネコフへの手紙」の中でも（表現や理論的位相の多少の違いはあれ）述べられており、したがって『共産党宣言』でも基本的に同じ枠組みのもとで書かれているとみなすことができるだろう。

そこで、ここでは『共産党宣言』の個々の内容について詳細に論じるのではなく、またあれこれの理論的限界や不十分さ（それらは当然にも各所に見出せるし、「共産主義の原理」にあってはなおさらである）についてあれこれ論じるのでもなく、この「導きの糸」が『共産党宣言』においてどのように具体化されているかについてだけ簡単に見ておこう。生産力と生産関係との矛盾はさまざまな領域、側面、位相において確認することができるが、『共産党宣言』では主に、ブルジョアジーの側におけるそれと、プロレタリアートの側におけるそれとが考察されている。

まずブルジョアジーの側における生産力と生産関係との矛盾を見ていこう。ブルジョアジーは一方では、過去のどの生産システムも想像しなかったような巨大な生産力を地中から呼び起こし、世界を無数の商業と運輸の糸で結びつけて一体化させながら（生産力的側面）、他方では、ブルジョアジーにとってこの巨大な生産力は万人の豊かさと安定した生活のためのものではなく、あくまでも利潤の獲得と私的所有の増大という狭い目的のための手段にすぎない（生産関係的側面）。この矛盾は何よりも周期的に繰り返される恐慌という先鋭な形で現象していると『共産党宣言』は（そして「共産主義の原理」も）みなしている。

この数十年来の工業と商業の歴史は、近代の生産諸関係、ブルジョアジーとその支配の存立条件である所有関係に対する、近代生産力の反逆の歴史に他ならない。周期的にブルジョア社会を襲い、ますます全ブルジョア社会の存立を脅かしている商業恐慌を挙げれば十分だろう。商業恐慌においては、生産された生産物の大部分だけでなく、すでにつくり出されていた生産力のかなりの部分もきまって破壊される。恐慌の際には、これまでのどの時代にあっても不条理と思えるよ

うな社会的疫病が発生する——過剰生産という疫病が。（六三〜六四頁）

これまでのどの社会も過少生産に悩んでいたが、資本主義は過剰生産に悩むのであり、労働者の大多数が依然として貧困であるのに、生産力が（資本の蓄積欲にとって）「過剰」になり、周期的に破壊されるのである。これほど奇妙な事態があるだろうか？『共産党宣言』では、恐慌が具体的にどのようなメカニズムによって発生するのかについては書かれていないが（過剰生産恐慌を想定していたことは文脈から明らかだが）、いずれにせよ、資本主義的産業がつくり出した巨大な生産力がブルジョア的な生産・所有関係に対して繰り返し反逆している事態がこの恐慌のうちに示されているのである（マルクスは後に、恐慌と並んで「利潤率の傾向的低下」を、資本の側における生産力と生産関係との矛盾の本質的現われとみなすようになる）。

次にプロレタリアートの側におけるこの矛盾は、何よりも一方では資本主義的工業の発展とともに、それの固有の産物であるプロレタリアートもますますその数を増し、ますます広く団結し、しだいに一個の階級として行動する能力を陶冶するのにもかかわらず（生産力的側面）、他方では労働者は資本主義のもとでますます不安定化し、労働はますます増大し、労働過程はますます魅力と内容を失い、自立した生産者から機械の付属物へと落ちぶれ、しだいに貧困化していく（生産関係的側面）という事態に現わされる。プロレタリアートの階級的力量の増大とその地位の社会的低下というこの相反する二重の過程こそが、労働者階級を資本主義の墓掘り人へと高めるところのものなのである。エンゲルスの「共産主義の原理」ではこの点はより明快な表現になっている——「産業革命は一方ではプロレタリアートの不満を増大させることによって、他方ではプロレタリアートの力を増大させることによって、プロレタリアートによる社会革命を準備するのである」（二七頁）。

こうして、一方で、ブルジョアジーの側における生産力と生産関係との矛盾が、このシステムがけっして永久的なものではなく、それが生み出した巨大な生産力を別の生産・所有関係のもとで合理的に利用するべき切迫した必要性と可能性を生み出すとともに、他方では、プロレタリアートの側における生産力と生産関係の矛盾が、このシステムを変革しうる主体である労働者の生産力的・階級的力量を高めつつ、このシステムに反逆する方向へと彼らを駆り立てるのである。この両者を踏まえて、マルクスは、「ブルジョアジーの没落とプロレタリアートの勝利はともに不可避である」との決定論的宣告を下す（七五頁）。

以上の論理と展望は、資本主義の長期的な発展曲線の基本的方向性を指し示したものとしては、けっして間違ってはいないし、だからこそ『共産党宣言』は今日でもその生命力を保っているのだが、中期的には、資本主義は、これらの矛盾によって作り出された恐慌と階級闘争そのものに駆り立てられて、これらの矛盾を媒介する諸手段、諸形態を生み出すことで生き長らえてきた。このような媒介手段、媒介形態を産出していく過程こそが、実は資本主義そのものの発展史なのであり、それがより複雑で多様で柔軟な総体的システムへと発展していく過程でもあるのである。たとえばケインズ主義は前者の矛盾（ブルジョアジーの側の矛盾）を媒介する主要な手段であったし、福祉国家は後者の矛盾（プロレタリアートの側の矛盾）を媒介する主要な手段であった。しかし、一九八〇年代から英米日で開始され、ソ連・東欧が崩壊した一九九〇年代以降に世界的に席巻するようになった新自由主義は、これらの媒介手段を部分的ないし全面的に破壊することで、再び資本主義の諸矛盾がより直接的に露呈する方向へと動いている。二〇〇八年の世界金融恐慌は前者の矛盾の現代的現われであり、グローバルに進行する大規模なプロレタリア化と極端な階級的不平等の出現は後者の矛盾の現代的現われである。

だが『共産党宣言』は、資本主義の全般的な発展の展望、その矛盾した運動を力強く描いているだけではない。それは、ドイツのように遅れて資本主義に参入した後発国における発展の特殊な展望をも簡潔に描き出している。

> 共産主義者はドイツに主な注意を向ける。なぜなら、ドイツはブルジョア革命の前夜にあり、しかもドイツが、この変革を一七世紀のイギリスや一八世紀のフランスと比べてヨーロッパ文明全体のより進んだ諸条件のもとで、そしてはるかに発達したプロレタリアートでもって遂行するので、ドイツのブルジョア革命はプロレタリア革命の直接の序曲となるほかないからである。(一一一頁)

この短い一節は歴史的に百万言に値する価値を持っていた。これは一方では後発国の革命をその国の生産力水準に直接依拠させず、国際革命(ここではヨーロッパ革命)のうちに不可分に位置づけて理解し、したがって他方では、後発国の歴史的発展過程を先発国の歴史の単なる(時間的に遅れた)繰り返しとみなさず、歴史的飛躍を伴った独自の軌跡をたどるものと把握している。後発国における革命のこの地理的・歴史的独自性の理解こそ、その後の世界史にとって決定的な意味を持つものであった。なぜならヨーロッパの一部と北アメリカを除くすべての国々は、つまり世界の国と地域の大部分は、資本主義世界システムの発展過程において必然的に大なり小なり後発国としての位置を占めるのであり、したがって大なり小なり、先発国の歴史の単なる繰り返しではない独自の軌跡をたどるしかないからである。後述するように、とりわけロシアのマルクス主義者たちはこの文言を自らの指針にするのである。奇妙なことに、『共産党宣言』は一部のマルクス主義者によって単線発展史観の典型的な著作とみなされているのだが、この文言から明らかなように、それはまったくの誤解である。

3　種々の特殊な論点

『共産党宣言』はわずか二三頁の短いパンフレットにすぎないにもかかわらず、その後無数の論争や議論の的となった多くの論点を含んでいる。たとえば、「近代の国家権力は、ブルジョア階級全体の共同事務を処理する委員会にすぎない」（五八頁）

という文言は、近代国家の本質をめぐる絶え間ない論争の一源泉となったし、「労働者は祖国を持っていない」(八六頁)という文言は、階級と民族をめぐる膨大な論争の一源泉となった。そうした特殊な論点のすべてをここで列挙することはできないが、いくつかだけ簡潔に触れておこう。

まず、『共産党宣言』において微妙な揺れをもって用いられている「私的所有」という概念の独特さである。それは一方では、資本主義に特有のブルジョア的私的所有、階級的所有を意味しており、つまりは他人の労働を搾取し支配する社会的権力としての特殊な私的所有(=資本)を表現している。しかし他方では、それは小ブルジョア的所有、小農民的所有をも包含する一般的な意味での私的所有をも意味している。同じような揺れは「所有」という概念そのものにも見られる。それは一方では、私的所有と共通する特殊な階級的・ブルジョア的所有を意味する特殊な概念として使用されており、それゆえ、プロレタリアートは「無所有」であると言われ、あるいは「賃労働、プロレタリアの労働は彼らに所有をつくり出したか? いやけっして。それがつくり出すのは資本である。すなわち、賃労働を搾取する所有……である」(七八頁)と言われている。しかし他方では、プロレタリアートが個人的な生活手段を「取得」

する場合でも「所有」という用語が使われており、「直接的な生を再生産するための労働生産物の個人的な取得」（七九頁）の場合を明らかに指して「個人の所有」（「人格的所有」とも訳せる）という用語が使われている。この場合、「所有」は、こうした「個人の所有」をも包含するより一般的な意味である。このような微妙な揺れは、「私的所有」や「所有」という、それ自体としては一般的な用語を特殊な意味で用いる場合に必然的に付きまとう問題であると言える。これは、プルードンの『所有とは何か』（一八四〇年）の影響がまだ完全には払拭されていないことの表われでもあろう。「私的所有」という用語にこのような決定的な重みと総括的な意味を与えて論じるスタイルは、その後しだいになくなっていく。

『共産党宣言』は、共産主義者が家族を廃絶しようとしているというブルジョア側からの非難に答えて、いやブルジョア社会こそが労働者家族をばらばらにし、子どもを単なる安価な生産道具に変えることで家族を破壊しつつあるのだと鋭く切り返している。当時、膨大な数の児童労働が「先進」資本主義諸国に存在していたことを考えれば、この主張はまったく正当である。その後、児童労働は先進国においては禁止されるようになり、そこでは児童労働問題は（完全にはなくなっていないとはいえ）、主要な問題ではなくなっている。しかし、世界的に見ると今なお膨大な数の児童労働が存在しており（ＩＬＯの発表によると、二〇一七年時点で全世界に一億五〇〇〇万人の児童労働者がいる）、多国籍企業は後進諸国においてこのような児童労働を大規模に利用することによって、安い商品を大量生産しているのである。したがって『共産党宣言』のこの論点は時代遅れになったどころか、マルクスの時代よりもはるかに今日的な切実さを持つに至っていると言えるだろう。

他方、先進国では、児童労働の大量利用がなくなったとはいえ、若年労働者の低賃金は依然として深刻な問題であるし、さらにこの日本では逆の世代の大量利用が今日的問題として先鋭なものになっている。それが低賃金高齢労働者の大量利用である。マルクスの時代には労働者の平均寿命が非常に短かったため、高齢労働者の大量利用という問題はほとんど存在しなかった。だが、今日では、平均寿命の増大とともに高齢労働者の問題が年々深刻になっている。本来は悠々自適の年金生活を送っていていいはずの高齢者が、公的年金額があまりに低額であるがゆえに、あるいは現役時代における低賃金のせいでほとんど貯金ができなかったがゆえに、六五歳を超えても低賃金で働かざるをえなくなっており（高齢ワーキングプア）、高齢者の労働災害も急速に増大している。六五歳以上の高齢労働者数は八〇〇万人を超えており、全労働者の一二%を占める（二〇一七年時点）。一五歳以下の子どもを低賃金労働者として使用することが人道に反するのなら、六五歳を超えた老人を低賃金でこき使うことも人道に反することではないのか？

『共産党宣言』は同じく、共産主義者が女性の共有制を導入しようとしているというブルジョアジーの側の非難に答えて、ブルジョアジーは女性を単なる生産用具とみなしているので、生産用具の共同利用と聞いて、女性を共有化しようとしているのだと勘違いしたのだと皮肉ぽく切り返している。それだけでなく、『共産党宣言』は（そして「共産主義の原理」も）、ブルジョア社会において普遍的に存在している売買春こそが女性の共有制ではないのかと挑発的に問いかける。当時における売買春は今日から見ればまだ小規模であり、またおおむね個人的なものであったが、今日ではそれはさまざまな手段を通じて企業化され、国際化され、一大グローバル産業になっている。それは、資本による特殊な搾取形態であるだけでなく、男性支配の典型的な形態でもある。マルクス主義者たちは、その創始者であるマルクス、エンゲルスから始まって、ベーベル、ツェトキン、コロンタイ、レーニン、トロツキーに至るまで、売買春の廃絶を当然にも社会主義の不可欠の課題とみなしていた。トロツキーは『裏切られた革命』において、売買春が存在しているかぎり、社会主義の勝利について語ることは許されないとはっきり述べている（トロツキー『裏切られた革命』岩波文庫、一九九二年、一九二頁）。だが今日、奇妙なことに、一部の「マルクス主義者」は、労働力の商品化を抑圧と搾取の根源とみなしながら、性の商品化と産業化を女性の解放と自立化の手段として肯定するに至っている。

「共産主義の原理」は、資本主義克服後の新しい社会像についてかなり踏み込んだ記述を少なからず残しているにもかかわらず、『共産党宣言』はその点に関して「共産主義の原理」よりもはるかに禁欲的である。所有問題などに関わって、『共産党宣言』の各所で未来社会についてのヒントらしきものは書かれているが、それ以上ではない。また、「プロレタリアートは自らの政治的支配を利用して、ブルジョアジーからしだいにあらゆる資本を奪い取り、あらゆる生産用具を国家、すなわち支配階級として組織されたプロレタリアートの手に集中し、生産力の量をできるだけ急速に増大させる」（八九〜九〇頁）という原則は書かれているが、「プロレタリアートの政治的支配」とはいかなるもので、「あらゆる生産用具を国家に集中する」という場合の、国家の具体像も、集中する仕方も、集中した生産用具をどのように管理・運営するのかについても、何も述べられていない。革命の過程で共産主義者がとるべき当面する諸措置については一〇箇条にわたってかなり具体的に書かれているが、それらはあくまでも過渡的措置にすぎないし、今日ではかなり時代遅れになっている感は否めない。一部はすでに資本主義のもとでも実現されているし、相続権の問題のようにその後マルクス自身が重視しなくなった項目もある。結局、未来社会像について総括的に述べているのは、『共産党宣言』の数々の名文句の中でもその後とくに有名となった、「諸階級と階級対立をともなう古いブルジョア社会に代わって、各人の自由な発展が万人の自由な発展の一条件である協同社会（アソシエーション）が登場する」（九二頁）という一文だけである。そして後にエンゲルスがイタリア人に対して未来社会に関する金言として引用したのもこの一文だった（Ⅲ―100）。

ここの「協同社会」の原語である「Assoziation」はフランス語からの輸入語であり、ドイツ語で言うと「ゲマインシャフト」に相当する（エンゲルスは「共産主義の原理」で両者を基本的に同じ意味で使っている。三四頁）。ソ連・東欧が極端な指令経済と強権的警察国家に堕落した挙句に崩壊して以降、この「アソシエーション」という用語は、ソ連・東欧諸国とは違うより自由主義的な社会像を示唆するものとして、知識人たちのあいだで大いに重宝されるようになった。だが、いったいどのようなメカニズムをもってすれば「各人の自由な発展が万人の自由な発展の一条件」になりうるのかについては、ここでは何も述べられておらず、革命後の社会建設の実践的指針にするには、残念ながらあまりにも抽象的である。「共産主義の原理」ではもう少し具体的に書かれているが、いささか生産力主義的であり、かつ、やはり一般的にすぎる。それを何らかの指針にするためには、ソ連・東欧の経験を単なる負の歴史として清算してしまうのではなく、その功罪を十分具体的に考察したうえで、そこからできるだけ豊かで多様な教訓を引き出すことが必要だろう。

4　『共産党宣言』新版への道

一八四八〜四九年の革命は、ヨーロッパのどこにおいてもブルジョアジーの政治的臆病さゆえに最終的な勝利にまでは至らず、各地で君主制が権力に返り咲くことになった。とりわけ、一八四八年六月にフランスでプロレタリアートの蜂起が勃発したことは（六月事件）、フランスおよび周辺諸国のブルジョアジーを恐怖させた。彼らは、右側の敵たる君主制や貴族支配と闘うよりも、左側の同盟者たるプロレタリアートに対する警戒心を強めた。徹底した民主主義革命の遂行が、まさに『共産党宣言』で展望されたような「プロレタリア革命の序曲」になることを無意識のうちに恐れたブルジョアジーは、どこでも旧勢力との妥協を追求するようになった。マルクスとエンゲルスはこの経験から、『共産党宣言』の時点ではなおかろうじて残っていたブルジョアジーの「革命性」（少なくとも君主制に対するそれ）という前提を否定するようになり、永続革命という戦略的展望へと急速に接近するに至る。

フランスにおいては、古い君主制こそ復活しなかったが、一八五一年一二月にルイ・ボナパルトがクーデターを起こして、第二帝政へと移行した。マルクスは、あの偉大な二月革命と六月蜂起を実行したフランス・プロレタリアートがこのクーデターに対してまったく受動的であったことに驚き、革命の過程がけっして直線的でも単純な上昇線を描くものでもなく、前進と後退の深いジグザグを伴う息の長い過程であることを実感するようになった。これは、戦術的な意味での「永続革命」（グラムシが後に「獄中ノート」で論じた運動戦、機動戦としてのそれ）からの離脱を促した。つまり、一八四八年から一八五一年末のクーデターに至る激動の数年間は、マルクスとエンゲルスを戦略的ないし歴史的な意味での永続革命に接近させるとともに、戦術的な意味での「永続革命」から遠ざけたのである。このまったく異なった位相にある二つの「永続革命」をいっしょくたにすることから、あらゆる理論的・政治的混乱が生まれうるし、実際に生まれている。

さて、一八四八～四九年革命の敗北後、多くの革命家たちは反動の嵐が吹きすさぶ大陸ヨーロッパからイギリスやアメリカに亡命することになった。マルクスとエンゲルスもさまざまな紆余曲折を経たうえで最終的にイギリスに落ち着いた。エンゲルスはマンチェスターに移って父親のビジネスに参加し、マルクスはロンドンに定住して本格的な経済学研究に着手することになる。そうした中で、『共産党宣言』の存在は、完全に忘れられたわけではないが、かなり後景に退くものとなった。革命情勢の存在を前提とした情熱的な革命的訴えの文書であった『共産党宣言』は、すでに反動期にあったヨーロッパの政治的雰囲気にそぐわないものになっていたからである。それでも、時おり両名の手紙で『共産党宣言』に触れられているし、またさまざまな論文の中でも言及されているが、その頻度は少なく、いつのまにかほとんど話題にされなくなってしまっている（一八五四年から六二年まで両名の手紙には登場しない。ただし一八六〇年のマルクス『フォークト君』ではかなり長く言及されている）。マルクスは、経済学の研究と、生活の糧を稼ぐための時事論文（『ニューヨーク・ディリー・トリビューン』向けに書かれたもの）の執筆に忙しく、『共産党宣言』の再刊に関わっている暇がなかったからであり、また両名とも、『共産党宣言』が後に獲得するような、マルクス主義の決定的な基本文献としての位置を占めるようになるとは考えていなかったからでもあろう。とくに、マルクスのように理論的な厳格さを重んじるタイプの人間から見れば、『共産党宣言』は当時における理論的水準の不十分さや、その時点での特殊な歴史的事情に制約された側面（たとえば、「真正社会主義」の批判にかなりの紙幅を割いていること）があったせいで、再刊する気にはあまりならなかったのかもしれない。

こうして『共産党宣言』は半ば忘れられた文書となった。しかしながら、マルクス・エンゲルス自身があまり気乗りしなくても、共産主義思想ないしマルクスの思想を何とか広げたいと思っていた周囲の支持者や同志たちにとっては、『共産党宣言』は他に代えがたい魅力を持った文献だった。なぜならそれは、マルクスとエンゲルスが、資本主義の発展過程から、共産主義思想の内容、他の社会主義者との関係、そして当面する革命の展望に至るまで、基本的なポイントを網羅していて、しかもきわめて簡潔でわかりやすい文書としては唯一のものだったからである。マルクスのその他の文献は、たとえば『聖家族』や『哲学の貧困』や『フォークト君』などが典型的なのだが、難解で、文体も過度に凝っていて、やたら冗長で、また政敵への皮肉や嫌味が過剰に盛り込まれており、とうてい普及に向いていなかった。それらの文献と比べて、『共産党宣言』は、共産主義者同盟の綱領として書かれたおかげで、短くリズミカルな文章、わかりやすい言い回し、簡潔で力強い文体、そして余計な皮肉がほとんど含まれていない、稀有のものであった。

こうして、マルクス・エンゲルス自身のあまり気乗りしない姿勢と、周囲の友人・支持者たちの熱意や客観的情勢との複雑な相互作用の結果として、両名によって（マルクスの死後はエンゲルスによって）公認された『共産党宣言』の新版および各国語版の出版に至る過程は、さまざまな紆余曲折を経る実に長い物語となった。両名公認によるの最初のドイツ語新版が出されたのは、ようやく一八七二年になってからのことである（ただし一八六六年に未公認の復刻版がジークフリート・マイアーによって出されている。Ⅲ―19）。というのも、ドイツの専制的状況からして、このような危険な書物の大規模な再刊と普及はきわめて困難であったからだ。ところが、ある事件をきっかけに、同書を合法的に出版する絶好の機会が訪れた。

一八七二年に新生ドイツ帝国は、普仏戦争に反対したドイツ社会民主労働党の指導者ベーベル、リープクネヒト、ヘプナーを反逆罪で裁判にかけた。その際、検察側は『宣言』を有罪の証拠にしようとして、裁判の審理において全文を読み上げた。それゆえそれは裁判記録の中に全文収録されることになった。この裁判記録は合法的に出版することができたので、リープクネヒトは裁判記録を分冊にして出版し、その第三分冊に『共産党宣言』を収録した。こうして本来は発禁本であった『共産党宣言』を合法的に普及する機会が訪れたのである。さらにリープクネヒトはこれを別刷りにして出すことにし、マルクスとエンゲルスにこの版のための序文の執筆を依頼した。だがこの依頼は両名の忙しさ（国際労働者協会での仕事やフランス語版『資本論』の準備）のためになかなか実現されず、一八七二年六月になってようやく果たされた。

この新版序文の執筆に至るまでの種々の手紙を見ればわかるように、マルクスもエンゲルスも新版序文の執筆にそれほど熱心ではなかったように見える。リープクネヒトが『共産党宣言』の新版の話を最初にしたのはすでに一八六九年六月のことである

（Ⅲ―22）。その時は『共産党宣言』の内容を改訂する要請だったがゆえに、マルクスとエンゲルスがすぐに応えることができなかったのも無理はない。しかし、その後リープクネヒトは改訂なしに裁判記録の一部として『共産党宣言』の新版を出す計画に切り替えた。リープクネヒトは一八七一年四月上旬に『共産党宣言』の新版への序文を書いてくれるようマルクスに要請している。マルクスはそれに対して四月一三日付の手紙で「考えておこう」という前向きな返事を出しているが（Ⅲ―26）、その後、リープクネヒトからの催促に対してマルクスもエンゲルスも当面の仕事で手いっぱいであるという理由で、新版序文の執筆を先送りしている（Ⅲ―27、Ⅲ―28）。翌年の二月になって、エンゲルスはリープクネヒトにようやく「次は『宣言』だ」と約束しているが（Ⅲ―29）、その一ヵ月後のゾルゲへの手紙では再び仕事で忙しいことを理由に新版序文に取りかかれないと言い訳している（Ⅲ―30）。一八七二年四月にリープクネヒトから何度目かの催促を受けてようやくエンゲルスは、四月二三日付の手紙で、短い序文を送ることを約束する（Ⅲ―31）。しかし、それから三週間後の手紙でもまだ「できるだけ早く取り組みたい」と言うだけで、この間、序文の執筆がいっこうに進んでいないことを告白している（Ⅲ―32）。結局、マルクスとエンゲルスが新版序文を書いたのはようやくその年の六月になってからのことであった（執筆はエンゲルス）。最初に新版序文を要請されてから一年二ヵ月も経っていた。そしてこの新版の出版そのものも、一八四八年の初版の出版から四半世紀近くも経っていた。実際に書かれた序文を見ると、それは本当に短いもので、この程度のものを書くのに、たとえ本当に忙しかったにせよ、それだけの月日をかける必要性があったのか疑問である。

この経過からわかるのは、両名とも、『共産党宣言』の新版を出すことにあまり実践的・理論的意義を見出しておらず、明らかにその優先順位が低かったことである。しかし、歴史とは奇妙なもので、両名がさして再版に熱心でなかった『共産党宣言』はその後急速にマルクスとエンゲルスの代表的な著作とみなされるようになり、とりわけ社会主義者取締法がドイツで廃止されて以降は、ドイツ国内で大規模に普及し、さらに各国語に次々と翻訳されて世界中に普及し、あらゆるところでマルクスの思想を信奉する人々や政治組織を生み出し、こうして文字通り世界の歴史を変える書物になるのである。

5 「最も翻訳しにくい文書」——『共産党宣言』各国語版に向けた紆余曲折

各国語版の道のりも新版と同じく厳しく、紆余曲折に満ちたものであった。かなり早い時期から、英語訳（エンゲルス自身によるもの）、スペイン語訳、イタリア語訳、フランス語訳の話が出ては立ち消えになっている（Ⅲ—3、Ⅲ—8、Ⅲ—9、Ⅲ—20）。ようやく、一八五〇年にヘレン・マクファーレンの訳によってイギリスの『レッド・リパブリカン』という雑誌に英訳が掲載されることになり（全訳ではない）、この英訳については、マルクスとエンゲルスは何度か話題にしている（Ⅲ—10、Ⅲ—12、Ⅲ—13）。さらにそれから二〇年以上経った一八七一年末にアメリカの『ウッドハル&クラフリンズ・ウィークリー』にも英訳が掲載され（Ⅲ—30）、それにもとづいたフランス語訳が一八七二年に雑誌に掲載され、さらにそれにもとづいたスペイン語訳が同じ年に出ている（Ⅲ—34、Ⅲ—35）。また、それらとはまったく別にロシア語訳（バクーニンによるとされている）が一八六九年に出版されており、翌年にマルクスとエンゲルスはそれを入手している（Ⅲ—25）。

しかし、これらはいずれもマルクスとエンゲルスの序文のない非公認のものであった。マルクスとエンゲルスの序文が付された最初の外国語訳は、一八八二年のロシア語版であった。それは、マルクス主義者になる直前のプレハーノフによるもので、「ロシア社会革命叢書」の一環として出版された。エンゲルスは、『共産党宣言』の翻訳に関して、自分が協力したものではないものに満足を表明することはなかったが、この翻訳だけは例外であった（Ⅲ—59）。

一八八二年ロシア語版への序文依頼は、マルクスおよびエンゲルスの親しい友人であったナロードニキのラヴロフを通じてなされた。この時点で訳者のプレハーノフはまだかろうじてナロードニキだったので、ラヴロフを通じて序文の執筆がなされたのだろう。マルクスとエンゲルスはナロードニキのラヴロフから依頼されたとあって、その序文の中で、ロシアの革命がヨーロッパ革命によって補完されるならば、ロシアの農村共同体は共産主義の出発点になりうるという親ナロードニキ的命題を擁護している。この序文はただちに革命的ナロードニキの機関紙『ナロードナヤ・ヴォーリャ』に転載され（Ⅲ—47）、ナロードニキたちを大いに喜ばせた。最初の草稿はエンゲルスによって書かれ、最晩年のマルクスは、その草稿にわずかな修正を施したうえで、自分の署名を書き加えた。こうして、マルクス・エンゲルス公認の最初の外国語版『共産党宣言』が出版されたのである。

しかし皮肉なことに、プレハーノフはすでにこの時点でナロードニキの立場からマルクス主義の立場に移りつつあり、自ら訳したこの『共産党宣言』を通じて完全にマルクス主義者となり、ナロードニキに対する最も激烈な批判者となるのである。すでにこのロシア語版『共産党宣言』に付した「まえがき」（本書の第Ⅱ部の付録1）の中で、プレハーノフは次のように述べている。

わが国には、ロシアの社会主義者の任務は西ヨーロッパの同志たちの課題とは本質的に異なっているという確信がいまだかなり強固に流布している。しかしながら、最終目標が万国の社会主義者にとって同一であるということは、もはや言うまでもない。ロシアの経済体制の特殊性に対してわが国の社会主義者たちが合理的な態度を取りうるのは、西ヨーロッパの社会発展を正しく理解する場合のみである。マルクスとエンゲルスのこの著作は、西欧の社会関係を研究するうえで、何ものにも代えがたい源泉である。（一三二～一三三頁）

このようにプレハーノフはすでにこの「まえがき」の中で、「ロシアの社会主義者の任務は西ヨーロッパの同志たちの課題とは本質的に異なっている」という立場、つまり資本主義を経ることなく共産主義に到達することができるという極端な立場（ナロードニキ）を否定して、ロシアの特殊性に対する、より「合理的な態度」を確立する必要性があり、この『共産党宣言』がそのための「何ものにも代えがたい源泉」であるとみなしている。プレハーノフはロシアの特殊性を絶対視する立場から距離を置き、ロシアの特殊性と西ヨーロッパとの共通性との弁証法的な総合へと移行しつつあったのである。そして、この「総合」の基軸となったのは、指導的な変革主体を、マルクスが期待をかけた革命的インテリゲンツィアや共同体的農民ではなく、ロシアの産業労働者階級に明確に設定したことであった。

プレハーノフはその後、一八八二年ロシア語版序文の親ナロードニキ的命題ではなく、『共産党宣言』の本文の中にある、後発国ドイツにおけるブルジョア革命が「プロレタリア革命の直接の序曲となる」（一一二頁）という命題に重大なヒントを見出し、マルクス主義者として書いた最初の著作『社会主義と政治闘争』（一八八三年）において、その命題のロシア・バージョンを展開した。そして、このプレハーノフの初期理論から、ロシア・マルクス主義の全体が、したがってまたレーニンとトロツキーの理論が生まれ、この両名の指導のもとでロシア革命が起こるのである。一八八二年ロシア語版序文ではマルクスとともにナロードニキを支持していたエンゲルスも、その後しだいにナロードニキの議論の非現実性を理解するようになり（より正確に言えば再認識するようになり）、プレハーノフの見解へとますます接近するようになった。それは、本書の第Ⅲ部に収録した一八九三年二月のダニエリソン宛ての手紙にも示されている（Ⅲ—95）。マルクスがもう少し長生きしていたら、やはり晩年のエンゲルスと同じ見解に至っていただろう。

残念ながらマルクスは、ロシア語版が出版された翌年の一八八三年三月に亡くなっており、以後、エンゲルス一人に『共産党宣言』のその後のドイツ語再版と各国語版の責任がかかることになった。とくに難航したのは英語版である。すでに述べたように、エンゲルスは、共産主義者同盟の決定にもとづいて、一八四八年の早い時期に自ら英訳を開始したが（Ⅲ—3）、それは結局完成されなかったようで、その後一度もこの英訳については両名の話題に上っていない。またその後、『レッド・リパブリカン』などいくつかの雑誌に分割掲載されたりしたが、独立した冊子としての英語版はなかなか出なかった（Ⅲ―10、Ⅲ―38）。エンゲルス自身、一八四八年の手紙で、英語に翻訳するのは「思っていたよりも難しい」と吐露していたのだが（Ⅲ―3）、その難しさは格別だったようで、実際にエンゲルス公認の英語版が出版されるまで結局、まる四〇年もかかることになる。

著者公認の英語版の出版が本格的に取り沙汰されるようになるのは、ようやく一八七六年のことである。アメリカにいた盟友のゾルゲが、一八七六年三月一七日の手紙の中で、こっちでは運動が盛り上がりつつあるので、普及用の英語版『共産党宣言』が必要であり、以前に手渡したヘルマン・マイアーの英訳を改訂して早急に英語版を完成させてほしいと訴えている（Ⅲ―38）。「できることでいいからしてくれたまえ、ただし急いで！」――このような熱烈な訴えにもかかわらず、英訳の準備は遅々として進まなかった。翌四月にはマルクスは英訳のチェックに取りかかるとゾルゲに約束しているが（Ⅲ―39）、それは一年以上も放置され、翌年の九月の手紙でマルクスは再びゾルゲに対して、エンゲルスといっしょに英訳の校訂をするとの約束を行なっている（Ⅲ―40）。しかし、これまたマルクスのいつものパターンで、一〇月の手紙ではすでに多くの仕事で時間がとられているとの言い訳が書かれ(Ⅲ―41)、そのまま再び二年間も放置した挙句、一八七九年九月の手紙ではまたしても、自分やエンゲルスに「時間がなかった」という言い訳をゾルゲに宛てて書いている(Ⅲ―42)。それでも「いずれ急いでやらなければならない」とアリバイ気味に書いているのだが、その「いずれ」はいっこうに到来しなかった。それから、何年も英語版『共産党宣言』の話は手紙にさえ登場しなくなる。

次にようやく英語版の話が手紙に登場するのは、一八八二年六月二〇日付のエンゲルスのゾルゲ宛ての手紙である(Ⅲ―50)。しかもそれは、一八七六年にとっくにマルクス、エンゲルスの手に渡っていたマイアーの英訳がまったく役立たない代物だという悲しい事実を伝えるものだった。六年もの歳月をかけた挙句の結論がこれでは、ゾルゲもさぞがっかりしたことだろう。だが、ゾルゲはマイアーの英訳を完全にはあきらめていなかったようで、数年後にもう一度その話を蒸し返している(Ⅲ―72)。しかし結局、マルクス存命中は、この新しい英語版の準備作業はまったく進捗(しんちょく)しなかった。

マルクスが亡くなった後になっても、著者公認の英語版の準備はなかなか進まなかった。その一因は、英訳そのものの難しさと、それをなしうる人材の不足にあった。エンゲルスは一八八三年六月の手紙の中で、『共産党宣言』を適切な英語に翻訳しうる人材の不在を嘆いている（Ⅲ―59）。

『宣言』の［英語への］翻訳が改めて示したように、われわれのドイツ語を少なくとも文章的に読みやすく、文法的に正しい英語に訳せる人物がそちらにはいないようだからだ。そのためには両方の言葉に文筆家として熟達している必要があるが、それだけでなく、［無味乾燥な］新聞口調に熟達しているだけではだめなのだ。『宣言』を翻訳することはおそろしく難しい。（二一六頁）

この一文に続けて、ロシア語訳への絶賛が書かれているのだが、いずれにせよ、エンゲルスは『共産党宣言』を英語に訳すことの特別の難しさを認識していたようである。それが単なる言い訳だと言うことはできないだろう。ドイツ語が持つ独特の重厚さと哲学的概念性がそのような伝統のない英語やフランス語には移しかえづらいというのは、その通りなのだろう（マルクスも『資本論』をフランス語に置き換えるときに同じような困難に直面し、ドイツ語原著にあった哲学的ないしターム的な言い回しの多くを結局、別のより平板な言葉に置き換えるか、削除している)。

このような不満は他の手紙にも見出される。エンゲルスは『共産党宣言』のフランス語訳をめぐってマルクスの娘のラウラ・ラファルグと何度も手紙を交わしているが、その中の一つで「本当のところを言うと、『宣言』の翻訳を見ると僕はいつも少しぞっとする。この最も翻訳しにくい文書をめぐって、さんざん苦労した挙句、結局無駄に終わったことが思い起こされるからだ」と述べている(Ⅲ—68)。「さんざん苦労した挙句、結局無駄に終わった」ものとして彼が念頭に置いていたのは、マイアーの英訳(Ⅲ—50)やポール・ラファルグのフランス語訳であっただろう(Ⅲ—20、Ⅲ—21)。

何よりもマルクスのドイツ語をちゃんとした英語に訳せる人物を探すことが肝要だった。『資本論』の英訳も担当したサミュエル・ムーアこそが、ついにその発見された適任者であった。『共産党宣言』の英語版の準備作業が軌道に乗るのは、ムーアが英訳を引き受けて以降のことである。一八八七年三月の手紙の中で、エンゲルスはゾルゲに答えて次のように書いている(Ⅲ—73)。

W［ウィシュネウェツキ］夫人には『宣言』を［英語に］訳すのは無理だ。それができるのはただ一人、すなわちサム・ムーアだけで、ちょうど今それをやっているところだ。第Ⅰ章の原稿はすでに僕の手元にある。（二二七頁）

それ以降、とんとん拍子とまではいかないが、明らかにそれまでの数十年間にほとんど進まなかった『共産党宣言』の英訳作業は着実に進むことになる。同年五月にはゾルゲに宛てて、ムーアによる英訳が「すでにすんでいる」との知らせを送り、後は自分（エンゲルス）が目を通すだけだと述べている（Ⅲ―74）。一八八八年一月にはムーアがエンゲルスのもとにやって来て、いっしょに最終的な校訂作業を行ない（Ⅲ―75）、二月には英訳作業が終わったと友人に伝えることができるようになった（Ⅲ―76）。そして校正刷りでのチェックを経て、ついにエンゲルスは、一八七六年以来、著者公認の英語版の出版を待ち望み続けたゾルゲに宛てて次のような手紙を送ることができたのである（Ⅲ―79）。

君の長年来の望みは少なくともこの数日中に満たされる。『宣言』がこちら［ロンドン］のリーヴス書店から英語で出版される。翻訳はS・ムーア、校訂は彼と僕の二人、序文は僕だ。初校はもう読んだ。僕が何部か受け取ったらすぐに、君に二部送る。（二三二頁）

この英語版の完成はエンゲルスにとって非常に喜ばしいことだったようで、同時期にあちこちに英語版の完成を伝える手紙を書き送っている（Ⅲ—80〜83）。この著者認定の英語版は単なる英訳ではなかった。エンゲルスはそこに、英語圏における初心者の読者のために多くの解説的な追加注を入れるとともに、表現にも多くの修正をほどこした。明らかにそれは単なる翻訳の域を出るものであって、英語による「再現」と言うべきものであった。これは、マルクスとエンゲルスによる歴史的文書にエンゲルスが勝手に手を加えたと見るべきではないだろう。エンゲルスはラウラ・ラファルグに宛てた手紙の中で、自分の翻訳観について興味深いことを語っている（Ⅲ—68）。

終わりに近づくにつれて、あなたの翻訳の腕前はなおいっそう完全なものになっていくだろう。そしてますます、単に翻訳するのではなくて、別の言語で内容を再現するものになっていくだろう。（二二四頁）

原文を忠実に日本語に移しかえることが正しい翻訳だと信じ込んでいる大多数の日本の知識人にはたぶんこのような翻訳観は受け入れられないだろう。どちらが正しくてどちらが間違いというわけではない。エンゲルス校訂の英語版がこうした翻訳観にもとづく「翻訳」（別の言語での内容の再現）であるということである。とくにエンゲルスは著者の一人なのだから、単なる翻訳者よりも自由度はいっそう大きいだろうし、そうする権利もあった。マルクス自身も、『資本論』のフランス語版をほとんど別の作品に仕立て上げたのだから。

英語圏では、この最も権威あるエンゲルス校訂訳が存在するため、ほとんどの出版社はこの英語版だけを再版しつづけている。そのため、英語圏の読者は、ドイツ語原著とかなり表現の異なるこの英語版だけを読んで、これが『共産党宣言』そのものだとみなしている。最近では英語圏でもドイツ語版により忠実な新訳がいくつか出されるようになっているが（たとえばハル・ドレイパーやテレル・カーバーによるもの）、依然としてエンゲルス校訂版が圧倒的シェアを誇っている。

著者認定の英語版の作成に相当の努力を傾注したエンゲルスだったが、その後、この英語版の出版のおかげもあって、『共産党宣言』はみるみるうちに世界中に普及するようになった。一八四八年に出版されて以来、一八八〇年代になるまでほとんど普及することのなかった『共産党宣言』は、一八八〇年代後半以降、猛烈な勢いで普及しはじめ、ヨーロッパの（やがては世界中の）無数の言語に翻訳されるようになり、それとともに世界各地から各国語訳の校訂やそれへの序文の依頼がエンゲルスのもとに舞い込むようになった。晩年のエンゲルスは、『資本論』第三巻の編集という大事業に従事するかたわら、自分やマルクスのさまざまな著作の訳の校訂や序文の執筆を引き受けており、それらをこなすだけでほとんど読書さえできないというありさまになった。

最初のうちエンゲルスはそうした要請に何とか応えようと努力し、ポーランド語版の序文（Ⅲ―91）とイタリア語版の序文（Ⅲ―93、94）とを（文句を言いながらも）かろうじて執筆したのだが、それ以降、翻訳の出版を歓迎しつつも、そうした依頼に断りを入れるパターンも目立つようになる（Ⅲ―101、104）。ところで、ポーランド語版の序文において、ポーランドの民族独立が、ポーランドの貴族やブルジョアジーによってではなく、何よりポーランド・プロレタリアートによって獲得されるだろうとの展望が示されているのは興味深い（一五九頁）。これは明らかに、ポーランドにおける永続革命（戦略的意味でのそれ）の展望を示唆するものである。

エンゲルスによって校訂された外国語訳は、ラウラ・ラファルグが翻訳したフランス語版が結局最後となる。このフランス語版の翻訳についても、英語版に優るとも劣らない長い紆余曲折があったのだが、ここではもう取り上げないでおこう。それをめぐる一連の手紙では、フランス人の理論的能力やドイツ語読解力に対するエンゲルスの根深い不信が示されており、このことも英語版以上に著者認定のフランス語版の出版が遅れた理由である。また、エンゲルスはラウラ・ラファルグに宛てて、どのドイツ語をどのようなフランス語に置き換えるのがいいかの具体的指示を与えており（Ⅲ―103）、これもなかなか興味深いものである。エンゲルスはこの著者認定フランス語版に自ら序文を書くつもりだったが（Ⅲ―70、Ⅲ―105）、結局それは書かれることなく、エンゲルスは一八九五年八月にその偉大な生涯を終える。フランス語版は結局、エンゲルスによる独自の序文なしで出版された。もしエンゲルスがフランス語版序文を書いていたら、それは大変興味深いものになっただろう。

6 『共産党宣言』と日本

エンゲルス死後も、『共産党宣言』の各国語への翻訳と普及はとどまるところを知らず増大しつづけたのはよく知られている事実である。エンゲルスがポーランド語版序文で述べたように、ある国での『共産党宣言』の普及度は、その国の大工業の発展度と労働運動の発展度を測る指標でもあった。そしてこの翻訳と普及の波は二〇世紀になると、日本という東端の小さな島国にまで達するのである。

日本における『共産党宣言』の翻訳は、よく知られているように、一九〇四年に堺利彦と幸徳秋水によって英語版にもとづいてなされたのが最初である。格調高い文語調で翻訳されたこの最初の日本語訳は、北東アジアでの最初の『宣言』訳でもあったので、その後、そこでの訳語が初期の中国語版でも参考にされた。最後の有名な一句、「万国の労働者団結せよ！」ないし「万国のプロレタリア団結せよ！」は基本的に戦後日本における各種翻訳にもそのまま踏襲されている。この最初の翻訳は、第Ⅲ章を割愛したうえで『平民新聞』に掲載されたのだが、その号はただちに発禁となり、翻訳者も逮捕・起訴され、罰金刑が科された。しかし、その裁判での判決文に、「古の文書はいかにその記載事項が不穏の文字なりとするも、……単に歴史上の事実とし、または学術研究の資料として新聞雑誌に掲載するは、……社会の秩序を壊乱するといふ能はざるのみならず、むしろ正当なる行為といふべし」という一文があったことを逆手にとって、堺利彦は一九〇六年に、第Ⅲ章の訳を追加したうえで「学術研究の資料」として『社会主義研究』第一号に全訳を掲載した。しかしこの号もその後、大逆事件後の反動化の中で発禁となった。

その後、河上肇や櫛田民蔵による部分訳が研究の一環として出されたり、またこの堺・幸徳訳の『共産党宣言』も一九二一年に改めてドイツ語から口語訳として秘密出版されたりしたが、日本国内における全訳の合法的な出版は戦前には結局不可能だった。たとえば、ロシアの優れたマルクス研究者リャザノフの詳細な解説が掲載された特別版の『共産党宣言』が翻訳されたこともあったが、それもただちに発禁となり、すぐに出版社を変えて再刊されたが、それもすぐに発禁処分となった。戦前に世界初となる『マルクス・エンゲルス全集』が日本独自に編集されたときも、『共産党宣言』だけは収録されなかった。全集全体が発禁になる可能性があったからである。その他のマルクス、エンゲルスの諸論文・諸著作、レーニンやスターリンやブハーリンやトロツキーの諸著作などは、伏字付きとはいえ、一九二〇年代から一九三〇年代半ばにかけて大量に翻訳出版されたにもかかわらず、『共産党宣言』はタブーであり続けた。あまたのマルクス主義文献の中で日本の官憲当局が最も危険視したのが、この『共産党宣言』であった。

アジア・太平洋戦争が終結し、治安維持法が廃止されると、戦前の訳にもとづいた『共産党宣言』の全訳が次々と出版された。一九四五年一二月にはすでに堺・幸徳訳の『共産党宣言』が彰考書院から出され、翌年にはさらに数種類の『共産党宣言』が、東京の出版社だけでなく、各地方組織からも出されている。私の手元には、日本共産党北海道地方委員会刊行と書かれた『共産党宣言』がある（幸徳・堺訳で、一九四六年四月二五日発行）。『共産党宣言』のこの一斉発行こそまさに戦前の体制が崩壊したこと、新しい日本が始まったことを象徴的かつ最も雄弁に物語るものだった。

粗末な紙で戦後次々と出版された『共産党宣言』はその後何十万部も発行され、労働者階級と知識人のあいだに急速に普及していき、戦後における日本労働運動とマルクス主義の興隆の礎となった。さらに戦前の訳や文体では物足りないと感じた多くの知識人が新訳を次々と出していった。近年になっても、『共産党宣言』の新訳は出されつづけており、日本は世界で最も多くの種類の『共産党宣言』の翻訳が存在する国となった。その一覧として、橋本直樹『「共産党宣言」普及史序説』（八朔社、二〇一六年）の巻末表を参照してほしい。同じ訳者でも版が異なればこの一覧に加えられているが、異なった訳者によるものだけに限定しても、三〇種類以上の翻訳が出ていることが、この表からわかる。

ホブズボームはその最後の著作である『いかに世界を変革するか』（作品社、二〇一七年）の中で、各国における『共産党宣言』の普及の度合いについて書いているが、日本に関しては一九一七年以前に三つの版の訳が出たことを伝えるのみである（これは翻訳の種類ではなく、あくまでも版の種類。この三つの版はすべて幸徳・堺訳であると思われる）。二〇〇四年に、『共産党宣言』の英語改訂版（ペンギン・ブックス）に長大な序文を書いたステッドマン・ジョーンズは、その中で、『共産党宣言』が日本語やタタール語にまで翻訳されたと（いささか驚きを込めて）書いているが、彼にとっては日本語への翻訳はタタール語への翻訳と同じぐらい特異なことだったのである。実は日本には『共産党宣言』だけで三〇種類の翻訳と九〇以上の版があることを知ったら、彼はいったいどんな反応をするだろうか？

日本ではこのように今日でも多くの種類の『共産党宣言』が出されているが、それに応じて労働運動が盛り上がっているわけではない。エンゲルスが言うように『共産党宣言』の普及はたしかに労働運動の発展の一指標ではあるが、それはある限界内においてである。日本では、マルクス主義文献学の発展と労働運動の発展とが乖離する傾向が戦前から一定見られたが、今日ではその乖離はいっそう深刻で危機的なものになっている。しかし、このような乖離がいつまでも続くわけではない。労働運動がやがて日本でも盛り上がるか、さもなくばマルクス主義文献学も衰退するかである。前者の兆候はほとんど見当たらないが、すでに後者の過程は急速に進行しつつある。中期的には後者の形で乖離が収束する可能性は大である。

しかし、日本資本主義の混迷はその深刻さの度合いをますます強めつつある。賃金はこの二〇年間、ほとんど上がらないかむしろ下がっている。周知のように、非正規労働者の割合はますます増大し、今や全労働者の四割近くを占めるに至っている。深刻な人手不足にもかかわらず、これらの非正規労働者の賃上げも地位向上もほとんどなされず、代わりに最低賃金レベルの（しばしばそれさえ下回る）外国人労働者と高齢労働者が穴埋めに動員されている。日本の労働時間は依然として欧米先進国に比べて圧倒的に長く、深刻な過労死や過労自殺がいまだ後を絶たない。福祉と教育に関わる予算はますます削減ないし過度に抑制され、一握りの金持ち以外の税・保険料負担はますます上がっている。毎年深刻な災害が日本を襲い、人々の生活を根こそぎにしているのに、政府は災害対策よりも無駄な軍事費に巨額の予算を使うのに熱心である。それにもかかわらず、与党は野党と比べて圧倒的に高い支持率をずっと保持している。世界的に見て日本の異常さは際立っている。日本はまるで、労働者の大規模な反抗を作り出すことなく労働者に対する搾取といじめがどこまで遂行可能であるかの壮大な社会的実験を行なっているようなものだ。

だがこのような社会的実験はいずれ破綻する運命にある。世界で最も従順な日本の労働者階級といえども、必ずや立ち上がる時が来るだろう。その時には、『共産党宣言』をはじめ、マルクス、エンゲルス、トロツキー、グラムシらの革命的遺産も新たに、そして何よりも若い人々によって（もちろん批判的かつ発展的に）読まれ、学ばれ、実践に生かされることだろう。

『共産党宣言』の最後の一句は今日においても、いや今日においてこそ決定的な意義を持つ。なぜなら、冒頭で述べたように、一八四八年当時の「万国」はヨーロッパの一部と北アメリカを意味するにすぎなかったが、今では本当の意味で「万国」が対象となっているからである——「万国のプロレタリア、団結せよ！」。彼らが獲得するのは文字通り全世界である。

マルクス年譜

一八一八年
五月五日、プロイセン王国治下のトリーアで、弁護士の父ハインリヒ・マルクスと母ヘンリエッテとの間に生まれる。

一八二〇年　二歳
一一月、フリードリヒ・エンゲルス生まれる。

一八三〇年　一二歳
トリーアのギムナジウムに入学。

一八三五年　一七歳
一〇月、法学研究のためボン大学に入学。

一八三六年　一八歳
夏、イェニー・フォン・ヴェストファーレンと婚約。
一〇月、ベルリン大学に移る。

一八三七年　一九歳
ベルリン大学のヘーゲル学派の文筆サークル「ドクトル・クラブ」に入り、ブルーノ・バウアーらと知り合う。

一八三八年　二〇歳

五月、父ハインリヒ死去。

一八四一年　二三歳
イエナ大学で学位をうける。

一八四二年　二四歳
前年の創刊に携わった『ライン新聞』の主筆を務める。
一一月下旬、生涯の友、フリードリヒ・エンゲルスと知り合う。

一八四三年　二五歳
三月、『ライン新聞』主筆を辞任。六月、イェニーと結婚。
一〇月、パリ移住。

一八四四年　二六歳
二月、『独仏年誌』に「ヘーゲル法哲学批判序説」「ユダヤ人問題によせて」を掲載。エンゲルスは「国民経済学批判大綱」を掲載。
五月、長女ジェニー誕生。『経済学・哲学草稿』第一稿を執筆。

一八四五年　二七歳
五月、エンゲルスの『イギリスにおける労働者階級の状態』が出版される。
九月、次女ラウラ誕生。翌年にかけてエンゲルスと共同で『ドイツ・イデオロギー』を執筆。

一八四七年　二九歳
一月、長男エドガー誕生。
六月、「共産主義者同盟」第一回大会がロンドンで開催。
七月、プルードンの『貧困の哲学』を

批判した『哲学の貧困』を刊行。

一一～一二月、「共産主義者同盟」第二回大会に出席。『共産党宣言』の執筆がマルクスとエンゲルスに委任。

一八四八年　三〇歳

二月、フランスで二月革命起こる。エンゲルスとの共著『共産党宣言』をロンドンで刊行。

三月から四月、ウィーンでの三月革命勃発を機にパリよりケルンに赴く。

六月、『新ライン新聞』を発刊。

一八四九年　三一歳

四月、『新ライン新聞』に五回にわたって「賃労働と資本」を連載。

五月、ケルン追放令が出され『新ライン新聞』の最終号が赤刷りで発行。

八月、イギリスに入国しロンドンに居を定める。同地がマルクスの終生の居住地となる。

一八五〇年　三二歳

経済学の研究の仕事を再開し、大英博物館に通い始める。

一一月、エンゲルスがエルメン・エンゲルス商会に再就職、以降約二〇年間勤務し、窮乏にあえぐマルクス一家を経済的に援助する。

一八五一年　三三歳

三月、三女フランチェスカ誕生。

秋、『ニューヨーク・デイリー・トリビューン』のロンドン通信員となり、多くの論説を寄稿。

一八五二年　三四歳

四月、三女フランチェスカ死去。葬式代を借りるなどその後の数年間、一家は極貧生活を送る。

五月、『ルイ・ボナパルトのブリュメール一八日』を出版。

一八五七年　三九歳

一〇月、『資本論』の最初の本格的な準備草稿である「経済学批判要綱」の執筆を開始し、翌年にかけて書き上げる。

一八五九年　四一歳

六月、『経済学批判』第一分冊を刊行。

一八六一年　四三歳

八月、『経済学批判』第一分冊の続きとして「第三章　資本一般」の執筆を開始（「一八六一〜六三年草稿」と呼ばれるもの）。

一八六二年　四四歳

三月、「剰余価値に関する諸学説」（後に『剰余価値学説史』として出版される）に関する草稿の執筆を開始。

一八六三年　四五歳

八月、「一八六三〜六五年草稿」を書き始める。

一八六四年　四六歳

九月、ロンドンで国際労働者協会（第一インターナショナル）創設、委員に選出される。

一八六五年　四七歳
六月、国際労働者協会の中央評議会で「賃金・価格・利潤」について講演。

一八六七年　四九歳
九月、『資本論』第一巻刊行。

一八七〇年　五二歳
七月、普仏戦争勃発。

一八七一年　五三歳
三月、最初のプロレタリア政府であるパリ・コミューン成立。
五月、パリ・コミューンが崩壊し、ベルサイユ政府軍による大量虐殺起こる。パリ・コミューンに関する国際労働者協会としての声明「フランスにおける内乱」を執筆。

一八七二年　五四歳
六月、『共産党宣言』のドイツ語新版の序文を執筆。
九月、国際労働者協会ハーグ大会でバクーニン派の追放を決定するとともに、本部をニューヨークに移すことを決定。事実上、国際労働者協会の活動が停止する。
九月、フランス語版『資本論』が分冊で出版開始。

一八七五年　五七歳
五月、アイゼナッハ派とラサール派とが合同し、ドイツ社会主義労働者党（後のドイツ社会民主党）成立。その綱領草案を批判した「ゴータ綱領批判」

言』出版。

一八九四年
エンゲルスが『資本論』第三巻を編集・刊行。

一八九五年
八月、エンゲルス死去。享年七四。

を執筆。

一八七八年　六〇歳
一〇月、社会主義者鎮圧法成立。

一八八一年　六三歳
一二月、妻イェニー死去。

一八八二年　六四歳
一月、『共産党宣言』ロシア語版の序文執筆。

一八八三年
三月一四日、マルクス死去。享年六四。

一八八五年
マルクス没後、遺された膨大な草稿にもとづき、エンゲルスが『資本論』第二巻を編集・刊行。

一八八八年
二月、著者認定の英語版『共産党宣

訳者あとがき

カール・マルクスの主著を一つだけ挙げろと言われたら、多くの人がおそらく『資本論』を挙げるだろうし、『共産党宣言』を挙げる人はあまり多くないだろう。だが二つ挙げろと言われたら、もう一つは間違いなく『共産党宣言』だろう。たしかに『資本論』こそマルクスの名声を確立したものであり、『資本論』とともにマルクスの名前は不朽のものになったのだが、『資本論』は未完成であり、かつあまりにも難解であまりにも分厚い。それを最後まで読み通したことがある人は、日本のような最も『資本論』が普及した国の一つであっても、ごくわずかだろう。だが『共産党宣言』は違う。それは初版でわずか二三頁の小冊子であり、共産主義者同盟の綱領として起草され、一八四八年革命のさなかに労働者向けに出されたものとして、非常に読みやすく、わかりやすい。マルクスは結局、資本主義の発展傾向から始まって、共産主義の信条、他党派に対する政治的評価、そして革命の戦略に至るまでを一つにまとめたような総括的な書物をその後二度と書かなかったのだから、『共産党宣言』は、マルクスの長年にわたる理論的研究の到達点である『資本論』とは別の意味で、他に代えがたいユニークな地位を占めている。

『共産党宣言』の書かれた歴史的文脈やその内容や反響については、すでに「解説」で書いたので、ここでは本書の編集と翻訳に関わる問題だけごく簡単に取り上げたい。

編集上の問題

第I部には、エンゲルスによる「共産主義の原理」（一八四七年）とマルクスとエンゲルスによる『共産党宣言』（一八四八年）を収録した。どちらも、ロンドンに亡命中のドイツ人が中心になって組織していた共産主義者同盟の綱領として起草されたものだが、エンゲルスが一八四七年に書いた問答式の「共産主義の原理」を踏まえて、マルクスが一八四七年末から一八四八年一月にかけて書き上げた『共産党宣言』が最終的に綱領として流布されることになった。

フランス二月革命の直前にロンドンで出版された『共産党宣言』にはいくつかの版

がある。とくに有名なのが、誤植の多い二三頁のもの（二三ページ版）と、多くの誤植が修正されているが別の誤りを含んでもいる三〇頁のもの（三〇ページ版）とであり、かつては誤植の少ない後者の「三〇ページ版」が翻訳の底本にされてきた（全集版も同じ）。戦後、どれが真の初版であるのかをめぐって国際的な論争が繰り広げられたが、今日では「二三ページ版」が初版であることがほぼ確定されている。

この「二三ページ版」を底本にした日本で最初の翻訳は服部文男氏による一九八九年の新日本文庫版であり、その後、若干の改訂をされて、『共産党宣言』出版一五〇年にあたる一九九八年に「科学的社会主義の古典選書」シリーズの一環として、新日本出版社から再刊された。その後、二〇一〇年に今度は的場昭弘氏の翻訳で作品社から出版され、そこには、ドイツ語の初版がそのまま復刻収録されており、誰でも初版にアクセスできるようになっている。同書はその後、マルクス生誕二〇〇周年の二〇一八年に新装版として再刊されている。ただし、全集版を底本にした従来の翻訳の多くも、一八四八年版とどこがどう違っているかを注で指摘しているので（相違箇所はごくわずかである）、初版を底本にしたからといって、何か新しい知見が得られるわけではない。

本書で底本として用いたのも初版の「二三ページ版」であり、文中の、［3］［4］…は「二三ページ版」の頁数を示している。「二三ページ版」を底本にしたものでも、「二三ページ版」の頁数を文中に入れているものはないので、今回、「二三ページ版」の頁数を挿入したことは一定の意味があるだろう。というのも、マルクスは『資本論』などで『共産党宣言』を引用する際、この「二三ページ版」の頁数を挙げているからである。

一部の翻訳はエンゲルス校訂の英語版との違いを訳注で示しているが、網羅的にすべての違いを訳注で示すと数百箇所も訳注を入れることになり、スムーズな読書を妨げるので、本書では思い切ってすべて割愛している。同じく、エンゲルスによる英語版追加注を当該箇所に入れることもほとんどの訳で踏襲されているが、それも本書では割愛した。というのも、それらの注解の最も長いものが、冒頭のところで二つも連続しており、そのため、読者は『共産党宣言』を読み始めていきなり長い注解を二つも読まされる羽目になるからである。またそれらの注解も内容的にそれほど重要なものではなく、初心者向けの解説にすぎない。そこで、本書ではこれらの英語版注解をすべて割愛して、第Ⅱ部の「付録2」にまとめて入れておいた。

第Ⅱ部には、マルクス・エンゲルス自身による各版序文を収録した。多くの既存の翻訳では本文の前に掲載されているが、本文を読む前に大量の序文を読まされるのは、読者の読む気をそぐことにしかならないと判断して、序文の類はすべて第Ⅱ部に入れた。この第Ⅱ部には「付録1」として、一八八二年ロシア語版に付されていた訳者プレハーノフの「まえがき」も入れておいた。

第Ⅲ部には、『共産党宣言』について触れたマルクスとエンゲルスの手紙の抜粋をまとめて配置しておいた（マルクスとエンゲルス以外によるものも一部収録）。基本的に『共産党宣言』に直接言及したものに限定しているが、ことのついでに触れただけのものについては割愛した。手紙は「1　マルクス生前の手紙」と「2　マルクス死後の手紙」とに大きく区分している。参照しやすいように、各手紙には連番をつけた。そこに付けられている訳注は、日本語版の全集と英語版の全集とをそれぞれ参照して作成した。

『共産党宣言』に触れた手紙はかなりの数にのぼるが、本書のようにまとめて掲載したものはこれまでなかったように思う。これは一般読者にとってだけでなく、研究者にとっても、それなりに便利なのではないか。当初は、『共産党宣言』に触れた論文もすべて抜粋して掲載する予定だったが、あまりにも膨大になるので、途中で計画を変更して、手紙だけを掲載することにした。

「共産党宣言」か「共産主義者宣言」か

すでに解説で述べたように、日本では三〇種類を超える翻訳が存在しているが、そのほとんどは「共産党宣言」というタイトルを用いている。しかし最近、「共産主義者宣言」や「コミュニスト宣言」など、「共産党」という訳語を避ける傾向も見られる。そこで最初にこの問題について触れておこう。

「共産主義者宣言」あるいはそれに類するタイトルにすべきだという論者はいくつかの根拠を挙げている。一、「共産党宣言」と言うと、まるで「共産党」という名前の組織がその当時にあって、その宣言として出されたという誤解が生じるが、当時あったのは「共産主義者同盟」という名前の組織だった。二、近代的な意味での「政党」は当時はまだ存在していなかったので、その点でも誤解を与える。三、『共産党宣言』の中で、マルクスとエンゲルスは「共産主義者は他の労働者政党に対立する特殊な党ではない」と自ら宣言しており、特殊な党である「共産党」という名称を使うのはおかしい。四、『共産党宣言』の一八七二年ドイツ語新版のタイトルは「Kommunistische Manifest」になっているし、とくに英語版では「Communist Manifesto」というタイトルで定着している、等々。

これらの理由はいずれも、マルクスとエンゲルス自身が「Manifest der Kommunistischen Partei」というタイトルをつけているのに、それをあえて「共産主義者宣言」と訳す根拠としてはあまり説得力がない。正当化できるのはせいぜい、『共産党宣言』と訳したうえで、「あとがき」かどこかにいくつかの保留意見を記す程度だろう。とはいえ、いちおうこれらの根拠について順番に見ていこう。

まず一つ目の理由だが、これは「共産主義者宣言」と訳す理由ではなく、なぜ共産主義者同盟の宣言なのに、「共産党宣言」というタイトルになっているのかの説明を促すものである（ちなみに、Ⅲ―2の手紙から明らかなように、共産主義者同盟の他の指導部メンバーもこのタイトル名に同意していた）。このことを明らかにする一つの重要な手がかりが、同志のフライヒラートに宛てたマルクスの一八六〇年二月の手紙の中にある。マルクスはその中でまず次のように述べている。

さらに僕は誤解を解こうとつとめたが、それは、僕の用いる「党」という語が、この八年来死に絶えている「同盟」とか、一二年来解体している新聞編集部のことを指しているかのような誤解である。僕のいう党とは、大きな歴史的意味での党のことなのだ。（邦訳『マルクス・エンゲルス全集』第三〇巻、三九八頁）

つまり「党」という概念は、マルクスやエンゲルスが参加しているあれこれの特定の組織の名称を指すものではなく、「大きな歴史的意味での党」を指しており、したがって共産主義者としてのマルクスとエンゲルスはたとえ特定の組織に属していなくても、歴史的な意味での「党」に属していたと言える。実際、マルクスもエンゲルスも手紙の中で何度も「党」を主体にして語っている。さらに、マルクスはこの同じ手紙の中で、共産主義者同盟のような個々の組織を「一時的な意味での党」（同前、三九二頁）と呼んでいる。したがって、彼らが実際に属している共産主義組織の名称が何であれ、それは、一時的な意味での「共産主義者の党」＝「共産党」なのである。したがって、共産主義者同盟の宣言が「共産党宣言」という名称であっても別におかしくはない。

次に第二の理由はどうか。たしかに、当時は近代的な意味での「政党」はまだ存在していなかった。したがって、ここで言う「共産党」の「党」とは近代政党としての「党」ではなく、より広い意味での「党派」、すなわち共通した政治的信条を持った人々の集合体という意味であろう。ドイツ語の「Partei」であれ、英語の「party」であれ、日本語の「党」であれ、それらは別に近代政党にのみ使われる特殊な用語ではなく、もっと広く、同じ信条や傾向を持った人々の組織的集合体全般を指せる、昔からの言葉である。とくに日本語の「党」はその意味内容がとてつもなく広い。何しろ「甘党」「辛党」という言葉があるぐらい、共通した特徴を持った人々の集合体はすべて「党」と呼ぶことができるほどである。「党」という言葉を無理やり近代政党にのみ限定して、そのうえで「共産党」という訳語を否定するのは牽強付会にすぎるだろう。

三つ目の根拠はどうか。そこの文言で重要なのは、「他の労働者政党に対立する」という部分であって、「特殊な党（派）ではない」という部分ではない。もし共産主義者がいかなる意味でも「特殊な党（派）ではない」ということをここで言っているとすれば、当時、共産主義者同盟という特殊な党派を作っていたこと自体が、この文言に反することになってしまう。

ところで、この文言を持ち出して、後にレーニンらが「共産党」という名前の組織を作ったことを否定的に評価する向きがあるが、これは、『共産党宣言』が書かれた一八四八年から、ボリシェヴィキが共産党に名称変更される一九一八年までの七〇年間の歴史を完全にネグレクトするものである。その間に、修正主義論争、帝国主義の発展、第一次世界大戦、社会民主党の歴史的裏切り、そして何よりロシア十月革命があった。これらの諸事件を通じて、労働者政党内部での社会民主主義的潮流と共産主義的潮流とのあいだの歴史的大分裂が進行したのである。これらのいっさいを無視して、一八四八年の『共産党宣言』の片言隻句を持ち出して、レーニンらによる「共産党」結成を批判することほど非歴史的な態度はあるまい。

四つ目の根拠だが、たしかに『共産党宣言』の一八七二年ドイツ語版の表扉のタイトルには「Kommunistische Manifest」が選ばれているが、内題では依然として「Manifest der Kommunistischen Partei」が用いられている（橋本直樹『「共産党宣言」普及史序説』八朔社、二〇一六年、二五三頁）。またマルクスもエンゲルスも手紙の中では「Manifest der Kommunistischen Partei」という長い正式タイトルよりも、より簡略な

「Kommunistische Manifest」を頻繁に用いている。新版の場合も、リープクネヒトの判断で、単により便利な略称として後者のタイトルが使われたと推測することができるだろう。実際、エンゲルス公認の一八八八年英語版のタイトルも「Manifesto of the Communist Party」である。

さらに言語上の慣行の違いも関係している。日本語で「共産主義者宣言」と言うと、「共産主義者」である一個人の「宣言」という意味を強く連想させ、「共産主義党派の宣言」をあまり連想させないが、形容詞としての「kommunistische」（独）や「communist」（英）は、「共産主義者の」という意味だけでなく「共産党の」「共産党員の」という意味も持ちうる。アメリカは共和党と民主党の二大政党制だが、共和党員のことを「Republican」と言い、民主党員のことを「Democrat」と言うのと同じである。だから、「共産党宣言」の意味で「Kommunistische Manifest」とか「Communist Manifesto」と表現しても、日本語の「共産主義者宣言」と違って、原題から乖離するものになるわけではない。

厳密に訳せば、「共産主義者の党の宣言」とすることも可能であるが、それだとあまりに締まりのない表題になってしまう。「共産党宣言」という簡潔なタイトルにするのが、それが一般に定着しているというだけでなく、他のさまざまな点を勘案したうえでも、やはりベストな選択であろう。

国家は「組織された暴力」か？

『共産党宣言』には非常に有名になったいくつかの文言があるが、その一つは、「本来の意味での政治権力（Gewalt）とは、他の階級を抑圧するための一階級の組織されたGewaltに他ならない」（八八頁）というフレーズである。この一文には二回、「Gewalt」という単語が登場している。よく知られているように、ドイツ語の「Gewalt」は「権力（power）」、「暴力（violence）」、さらに「強制力ないし力（force）」という複数の意味を持っている。最初に登場する「Gewalt」が「権力」の意味であるのは明らかだが、二度目に出てくる「Gewalt」はどの意味だろうか。通常、二度目に登場する「Gewalt」は「暴力」と訳されてきた。しかし、本書では「暴力」とは別の言葉（「強制力」）に訳している。なぜか？

まず、エンゲルスによる著者認定版『共産党宣言』の英訳は、どちらも「power」と訳している。つまり、少なくとも二番目の「Gewalt」は「暴力」の意味ではないということである。しかし、どちらも「権力」と訳すと、いささか座りの悪い文章になるので、本書では二番目は「強制力」と訳すことにした（「強力」と訳すパターンも見られるが、名詞としての「強力」は日本語としてはあまり一般的ではない）。

また、エンゲルスは一八五一年八月のマルクスへの手紙の中で、『共産党宣言』の思想として、「政府とはある階級が他の階級を抑圧するための権力（Macht）に他ならず」と書いており、ここでは「Gewalt」というドイツ語さえ用いていない（Ⅲ―8）。さらにエンゲルスは別の手紙の中では、二番目の「Gewalt」を英語で「force」と訳している場合もある。一八八三年四月のニューヨーク在住のヴァン・パッテンに宛てた英語の手紙の中で、エンゲルスは『共産党宣言』を想起しつつ、「国家」について「組織された政治的強制力（organised political force）」と表現している（Ⅲ―56）。このように、少なくともエンゲルスにとっては、二番目に出てくる「Gewalt」は「violence」の意味ではなく、「power」ないし「force」の意味であるのは明らかである。これらの英語の選択が、晩年におけるエンゲルスの「平和革命志向」によるものだとみなすこともできない。というのも、後でも述べるように、英語版『共産党宣言』の別の箇所では「gewaltsam」を「violent」と訳しているからである。さらにエンゲルスはこの英語版を出版した翌年にコペンハーゲンの同志に宛てて、「プロレタリアートは暴力革命なしには、新しい社会への唯一の扉を開く自己の政治支配を獲得することはできない」とはっきり述べている（Ⅲ―84）。

しかし、エンゲルスのあれこれの文言だけで、二番目の「Gewalt」を「暴力」以外の用語に訳すのは説得力に欠けると思う人もいるだろう。なにしろ、『共産党宣言』を最終的に文章化したのはマルクスなのだから、マルクスの証言も見ておく必要がある。マルクスは、国際労働者協会の指導者としてパリ・コミューンに関する声明「フランスにおける内乱」を一八七一年に執筆しているが、これは英語で書かれている。その中でマルクスは、国家について次のように叙述している――「国家権力（State power）は、ますますもって、労働に対する資本の全国的権力、社会的隷属化のための組織された公的強制力（public force organized）……という性格を帯びるようになった」（邦訳『マルクス・エンゲルス全集』第一七巻、三一三頁。MEGA/I-22, S.137）。ここではマルクスは、国家権力を規定するのに「組織されたviolence」ではなく、「組織された公的force」と書いている。

同じような記述は「フランスにおける内乱」の各種草稿にも見出せる。第一草稿——「労働を隷属させるための組織された強制力（organized force）」（同前、五一二頁。MEGA/I-22, S.55）、「コミューン——それは、国家権力が、社会を支配し圧服する力（force）としてではなく、社会自身の生きた力（force）として、社会によって、人民大衆自身によって再吸収されたものであり、この人民大衆は、自分たちを抑圧する組織された強制力（organized force）に代わって、自分自身の力（their own force）を形成する」（同前、五一四頁。MEGA/I-22, S.56）。

次に第二草稿——「社会そのものが新しい局面に、階級闘争の局面に入るとともに、この社会の組織された公的強制力（organized public force）である国家権力の性格も同様に変化せざるをえなかった」（同前、五六二～五六三頁。MEGA/I-22, S.103）、「政府権力はますますもって、労働に対する資本の全国的権力、社会的奴隷制を押しつけるための組織された政治的強制力（political force organized）……という性格を帯びるようになった」（同前、五七七頁。MEGA/I-22, S.115）。このように、いずれもマルクスは「violence」ではなく、「force」を用いている。

「ゲバルトザム」の訳

しかし以上の考察によっても、「ゲバルト（Gewalt）」の形容詞ないし副詞である「ゲバルトザム（gewaltsam）」をどう訳すべきかの問題が解決されるわけではない。この「ゲバルトザム」は『共産党宣言』ではプロレタリア革命との関連で三箇所出てくるのだが、エンゲルス認定の英語版は最初の箇所（七四頁）では「violent」と訳し、残り二つの箇所（九一、一一二頁）では「by force」「forcible」と訳している。なので、これまでの流れからすると、この二箇所では「強制的に」「強制的」と訳すのが妥当であるように思われる。しかし、実際にそれが出てくる文章に「強制的に」と入れると、若干違和感のある日本文になる。最初の箇所はこうである――「プロレタリアートは、……支配階級として古い生産諸関係をゲバルトザムに廃棄する」（九一頁）。ここに「強制的」を入れると、「プロレタリアートは、……支配階級として古い生産諸関係を強制的に廃棄する」となる。「強制的に廃棄する」はそれほどおかしくないが、本書ではより日本語らしく「力ずくで廃棄する」と訳しておいた。

では二つ目の箇所はどうか？――「共産主義者は、自己の目的があらゆる既存の社会秩序をゲバルトザムに転覆することによってしか達成されないことを公然と表明する」（一一二頁）。原文は「ゲバルトザムな転覆」と形容詞形で登場しているが、本書では副詞形で訳しておいた。ここの「ゲバルトザム」を「強制的に」と訳すと、「強制的に転覆する」となり、かなり違和感のある文章となる。そこで、ここは「暴力的に転覆する」と訳しておいた。

橋本直樹氏の研究によると、カウフマンという人物が『共産党宣言』のこの部分を「violent subversion」と訳したうえでマルクスに助言を請うているが、マルクスはその部分に対してとくに異論を表明しなかったとのことである（前掲『「共産党宣言」普及史序説』、三五九～三六二頁）。この点からしても、この部分は「暴力的に転覆する」と訳してもさしつかえないだろう。

その他の訳語

最近よく話題となる「Assoziation」だが、これは文脈によって訳し分けてある。ブルジョア社会を打倒した後の新しい社会を指しているときには「協同社会」と訳し（三〇、四二、四三、九二、二一九頁）、それ以外では、「自治団体」（五八頁）、「結社」（六九頁）、「種々の団体」（七五頁）などと訳し分けたうえで、「アソシエーション」という英語読みのルビを入れておいた（「アソシアシオン」ではなく「アソシエーション」にしたのは、昨今こちらの表現で普及しているからである）。

六九頁に登場する「Coalitionen」（Koalitionen）だが、エンゲルスは一八八八年英語版で直後に括弧して（Trade-Unions）と挿入している。これは一八四八年当時において「労働組合」のことを「Coalition」と表現していたことを踏まえて、読者にわかりやすいよう「（Trade-Unions）」と挿入したにすぎないのであり、翻訳するときは最初から「組合」と訳していいし、そう訳すべきである。

「Verkehr」はこれまで「交通」と訳されることが多かったが、本書では、ラウラ・ラファルグに宛てたエンゲルスの手紙での助言に従って（Ⅲ―103）、「交換」と訳しておいた。

「Aufhebung」ないし「aufheben」は、ヘーゲル用語としては「止揚」「止揚する」だが、本書では「Abschaffung」「abschaffen」と同じく単に「廃棄」「廃絶」「廃止」の意味で用いられている。本書ではとくに訳し分けず、どちらの単語も文脈に応じて「廃棄」「廃絶」「廃止」のいずれかの訳語を選択している。

「Besitz」と「Eigentum」は「占有」と「所有」として厳密に訳し分けるというこ

とが日本マルクス主義の世界では常識となっているが、本書での使い方を見るかぎり、必ずしもマルクスとエンゲルスはそれほど厳密に使い分けていないように思われる。『共産党宣言』のある箇所では、最初に「Besitz」と言っていながら、その直後に同じものを指して「Eigentum」と書いているし（六二頁）、一八八二年ロシア語版序文では、ロシア農民の共同の土地所有のことを最初のうちは「Gemeinbesitz」と言っていたのに、最後には「Gemeineigentum」と言っている（一二九頁）。そこで、明らかに「所有」を指していると思われるときは、「Besitz」でも「所有」と訳しておいた。それ以外の「Besitz」は基本的に「占有」ないし「所持」などと訳している。

共産党宣言（きょうさんとうせんげん）

著者　マルクス、エンゲルス
訳者　森田成也（もりたせいや）

2020年2月20日　初版第1刷発行

発行者　田邉浩司
印刷　新藤慶昌堂
製本　ナショナル製本

発行所　株式会社光文社
〒112-8011東京都文京区音羽1-16-6
電話　03（5395）8162（編集部）
03（5395）8116（書籍販売部）
03（5395）8125（業務部）
www.kobunsha.com

ISBN978-4-334-75420-4 Printed in Japan

いま、息をしている言葉で、もういちど古典を

長い年月をかけて世界中で読み継がれてきたのが古典です。奥の深い味わいある作品ばかりがそろっており、この「古典の森」に分け入ることは人生のもっとも大きな喜びであることに異論のある人はいないはずです。しかしながら、こんなに豊饒で魅力に満ちた古典を、なぜわたしたちはこれほどまで疎んじてきたのでしょうか。

ひとつには古臭い教養主義からの逃走だったのかもしれません。真面目に文学や思想を論じることは、ある種の権威化であるという思いから、その呪縛から逃れるために、教養そのものを否定しすぎてしまったのではないでしょうか。

いま、時代は大きな転換期を迎えています。まれに見るスピードで歴史が動いていくのを多くの人々が実感していると思います。

こんな時わたしたちを支え、導いてくれるものが古典なのです。「いま、息をしている言葉で」――光文社の古典新訳文庫は、さまよえる現代人の心の奥底まで届くような言葉で、古典を現代に蘇らせることを意図して創刊されました。気取らず、自由に、心の赴くままに、気軽に手に取って楽しめる古典作品を、新訳という光のもとに読者に届けていくこと。それがこの文庫の使命だとわたしたちは考えています。

このシリーズについてのご意見、ご感想、ご要望をハガキ、手紙、メール等で翻訳編集部までお寄せください。今後の企画の参考にさせていただきます。
メール　info@kotensinyaku.jp

光文社古典新訳文庫　好評既刊

経済学・哲学草稿

マルクス
長谷川 宏 訳

経済学と哲学の交叉点に身を置き、社会の現実に鋭くせまろうとした青年マルクス。のちの『資本論』に結実する新しい思想を打ち立て、思想家マルクスの誕生となった記念碑的著作。

賃労働と資本／賃金・価格・利潤

マルクス
森田 成也 訳

ぼくらの「賃金」は、どうやって決まるのか？マルクスの経済思想の出発点と成熟期の二大基本文献を収録。詳細な「解説」を加えた『資本論』を読み解くための最良の入門書。

資本論第一部草稿　直接的生産過程の諸結果

マルクス
森田 成也 訳

『資本論』第一部を簡潔に要約しつつ、「生産物が生産者を支配する」転倒した資本主義の姿を描き出す。マルクスが構想した『資本論』の〝もう一つの結末〟。幻の草稿の全訳。

ユダヤ人問題に寄せて／ヘーゲル法哲学批判序説

マルクス
中山 元 訳

宗教批判からヘーゲルの法哲学批判へと向かい、真の人間解放を考え抜いた青年マルクス。その思想的跳躍の核心を充実の解説とともに読み解く。画期的な「マルクス読解本」の誕生。

永続革命論

トロツキー
森田 成也 訳

自らが発見した理論と法則によって、ロシア革命を勝利に導いたトロツキーの革命理論が現代に甦る。本邦初訳の「レーニンとの意見の相違」ほか五論稿収録。

★続刊

オリバー・ツイスト　ディケンズ／唐戸信嘉・訳

イギリスの地方都市の救貧院で育った孤児オリバー・ツイストは、ロンドンの犯罪社会に巻き込まれたり、温厚な紳士の庇護を受けたり、様々な運命の変転を経験しながら、やがて自らの出自の謎を知る……。文豪ディケンズの代表作。挿絵多数。

すべては消えゆく マンディアルグ最後の傑作集　マンディアルグ／中条省平・訳

五月下旬の午後遅く、パリの町の美しさを堪能しつつメトロに乗り込んだユゴー・アルノルドは、隣の席に座った女が無遠慮に化粧するさまに魅了される。女優だという彼女は彼をエロスの極みに誘うが……。隣り合わせの性と死を描く三篇収録。

みずうみ／人形使いのポーレ　シュトルム／松永美穂・訳

将来結婚するものと考えていた幼なじみとのはかない恋とその後日を回想する代表作（「みずうみ」）ほか、「三色すみれ」「人形使いのポーレ」を収録。若き日の甘く切ない経験を繊細な心理描写で綴ったシュトルムの傑作短編集。